S0-AIG-480

THE Secret

the POWER

the POWER

Rhonda Byrne

살림Biz

"그것은 우주 만물을 완성시키는 원인이다."

에메랄드 서판 (기원전 3000년경)

당신에게 바칩니다.

차 례

들어가는 글

2004년 9월 9일, 난 이날을 결코 잊지 못할 것이다. 아침에 눈을 떴을 때는 여느 날과 별반 다르지 않았지만, 이날은 내 인생에서 가장 위대한 날이 되었다.

모두들 그렇듯이 나 역시 최선을 다해 갖가지 문제와 어려움을 처리하면서 어떻게든 살아남기 위해 열심히 일하고 애썼다. 그러나 2004년은 내게 정말 힘든 해였고, 9월 9일 나는 감당하기 힘든 상황에서 말 그대로 무릎을 꿇고 말았다. 인간관계, 건강, 일, 재정 모두 회복 불능의 상태에 빠져 버린 것 같았다. 나를 둘러싼 산적한 문제를 어떻게 헤쳐 나갈 수 있을지 출구가 보이지 않았다. 그때 그 일이 일어났다!

딸아이가 100년 된 책 한 권[1]을 내게 내밀었고 90분에 걸쳐 그 책을 읽는 동안 내 모든 삶이 바뀌었다. 나는 왜 내 삶에 그 모든 일들이 일어

---

1 월레스 와틀스, 『부자가 되는 과학적 방법』. 이 책은 시크릿 웹사이트 www.thesecret.tv에서 무료로 내려 받을 수 있다.

났는지 이해했고, 모든 상황을 내가 원하는 대로 바꾸려면 어떻게 해야 할지 곧바로 깨달았다. 나는 비밀을 발견한 것이다. 수 세기 동안 전해 내려왔지만 역사상 소수의 몇 사람만 알고 있던 비밀이었다.

그 순간부터 내 눈에 보이는 세상은 예전의 그 세상이 아니었다. 삶이 이루어지는 방식에 대해 믿어 왔던 모든 것이 실제 모습과 완전히 '반대' 였다. 나는 내 삶의 갖가지 일들이 그냥 일어났다고 믿으면서 수십 년을 살아왔다. 하지만 이제 나는 놀라운 진실을 보게 되었다.

또한 나는 대다수 사람들이 이 비밀을 모르고 있다는 걸 알았고, 이 비밀을 세상과 함께 나누기 위해 나섰다. 상상할 수 있는 모든 장애를 헤치고 영화 〈시크릿〉을 만들었으며 2006년 전 세계에 배급했다. 같은 해 나는 『시크릿』 책을 썼고 이 책을 통해 내가 발견한 더 많은 사실을 나눌 수 있었다.

『시크릿』은 그야말로 빛의 속도로 퍼져 나갔고 이 사람에게서 저 사람으로 지구 전체에 전해졌다. 오늘날 세계 모든 나라의 수천만 명이 이 비밀을 이용하여 정말 믿기지 않는 방식으로 각자의 삶을 변화시켰다.

사람들은 『시크릿』을 통해 삶을 변화시키는 법을 배우면서 수천 개에 달하는 놀라운 이야기를 내게 알려 왔고, 나는 사람들이 살아가면서 왜 그러한 어려움을 겪는지에 대해 더 많은 통찰을 얻었다. 그리고 그러한 통찰과 함께 『파워』에 대한 깨달음이 찾아왔다. 그것은 삶을 한순간에 변화시킬 수 있는 깨달음이었다.

『시크릿』을 통해 끌어당김의 법칙이 드러났다. 이는 우리 삶을 지배하는 가장 강력한 법칙이다. 『파워』 속에는 2006년 『시크릿』이 나온 이후 내가 깨달은 모든 것의 진수가 들어 있다. 당신의 인간관계, 돈, 건강, 행복, 일, 그리고 당신의 삶 전체를 바꾸기 위해 필요한 건 오직 한 가지뿐이라는 사실을 『파워』 속에서 이해하게 될 것이다.

『파워』를 통해 당신의 삶을 변화시키기 위해 반드시 『시크릿』을 읽어야 하는 것은 아니다. 당신이 알아야 할 모든 것은 『파워』 속에 들어 있기 때문이다. 『시크릿』을 이미 읽었다면 『파워』가 당신이 알고 있는 것을 무한대로 증폭시킬 것이다.

당신은 아주 많은 것을 알고 있다. 당신은 자기 자신과 자신의 삶에 대해 아주 많은 것을 이해하고 있다. 게다가 모두 좋은 것들이다. 사실 좋다는 말로도 부족하다. 실로 경이롭다!

감사의 글

미래 세대를 위해 삶에 대한 깨달음과 진리를 보존하고자 자신의 삶을 걸었던 역사상 가장 위대한 사람들에게 가장 깊은 감사의 마음을 전한다.

『파워』라는 책이 탄생하기까지, 이 책이 지금과 같은 모습이 될 수 있도록 소중한 도움을 주신 분들에게 감사드리고 싶다. 비범한 편집을 해 준 스카이 번에게 고마움을 표하며, 아울러 지도와 격려를 아끼지 않고 전문 지식과 소중한 의견을 제시해 준 잰 차일드에게도 감사드린다. 까다로운 과학적 역사적 조사 작업을 해 준 조시 골드, 책 디자인 작업을 해 준 고저 미디어의 샤무스 호아레와 닉 조지에게도 감사의 뜻을 전한다. 닉 조지는 이 밖에도 독창적인 삽화와 그래픽 작업을 해 주었고 이 책을 손에 쥘 모든 사람에게 감동으로 다가갈 아름답고 힘 있는 책을 만드는 데 온 힘을 기울였다.

이 책을 내 준 사이먼 앤드 슈스터 편집자들에게도 깊은 감사의 뜻을 전한다. 다함께 수십억 사람들에게 기쁨을 안겨 줄 수 있도록 열린 마음과 신뢰로 기꺼이 새로운 방법을 받아들여 준 캐롤린 레이디와 주디스 큐어에게 감사드린다. 『파워』의 편집 과정을 완벽한 기쁨으로 만들어 준 편집자 레슬리 메레디스에게 고마움을 전한다. 원고 교열 작업을 해 준 페그 할러, 킴벌리 골드스타인, 이솔드 사우어에게 감사의 마음을 전한다. 그 밖에 사이먼 앤드 슈스터에 있는 나머지 팀원들, 데니스 율라우, 리사 케임, 아일린 어헌, 달린 들릴로, 트위슨 팬, 키트 레코드, 돈나 로프레도의 수고를 아끼지 않은 작업에 감사드린다.

시크릿 팀이 되어 준 동료와 친구들에게 사랑과 고마움을 전한다. 이들은 전 세계에 기쁨을 안겨 줄 수 있도록 모든 가능성에 마음을 열고 온갖 어려움을 극복하는 용기를 보여 주었다. 폴 해링턴, 잰 차일드, 도널드 지크, 안드레아 키어, 글렌다 벨, 마크 오코너, 데미언 코보이, 다니엘 케어, 팀 패터슨, 헤일리 번, 카메론 보일, 킴 버논, 키 리, 로리 샤라포브, 스카이 번, 조시 골드, 닉 조지, 로라 젠슨, 피터 번, 모두에게 감사드린다.

가디너 시어의 변호사 마이클 가디너와 수잔 시어에게 고마움을 전한다. 멍거 톨에 있는 변호사 브래드 브라이언과 루이스 리에게도 깊은 감사를 드린다. 이들은 내게 조언과 전문 지식을 제공해 주었으며, 성실과 진실의 살아 있는 모범이 되어 주었고, 내 삶에 긍정성을 불어넣어 주었다.

내가 멋진 삶을 살도록 끊임없이 격려하고 영감을 준 사랑하는 친구들에게 고마움을 표한다. 엘레인 베이트, 브리짓 머피, 폴 서딩, 마크 위버, 프레드 네이더, 내디 한, 바비 웹, 제임스 싱클레어, 조지 버논, 카르멘 바스케스, 헬머 라가이스파다, 그리고 마지막으로, 하지만 결코 적지 않은 힘을 준 엔젤 마틴 벨레이오에게 감사드린다. 이들의 영적인 빛과 믿음 덕분에 나는 자신을 새로운 차원으로 끌어올릴 수 있었고 그 결과 수십억 사람들에게 기쁨을 안겨 주려는 나의 꿈을 실현할 수 있었다.

내게 가장 훌륭한 스승이자 존재만으로도 매일매일 내 삶을 밝혀 주는 두 딸 헤일리와 스카이, 그리고 나의 자매 폴린, 글렌다, 잰, 케이에게 고마움을 전한다. 이들은 좋을 때나 힘들 때나 끝없는 사랑과 도움을 주었다. 2004년에 갑작스레 아버지가 죽고 당신을 떠나보낸 뒤 그로 인해 나는 '비밀'을 발견했다. 『파워』를 쓰는 동안에는 가장 훌륭한 친구였던 어머니가 돌아가셨다. 그 뒤 남겨진 우리들은 어머니 없이 계속 작업을 진행하면서 우리 힘이 닿는 데까지 최고의 존재가 되고 조건 없는 사랑을 나눔으로써 세상에 변화를 만들어 냈다. 엄마, 마음 깊은 곳에서부터 모든 것에 감사드려요.

머리말

당신은 원래 '놀라운' 삶을 살 사람이었다!

당신은 원래 당신이 좋아하고 원하는 모든 것을 가져야 할 사람이었다. 당신은 신 나는 일을 할 사람이었고, 이루고 싶은 모든 것을 이루어야 할 사람이었다. 가족이나 친구들과 행복으로 충만한 관계를 맺을 사람이었다. 당신은 완벽하고 멋진 삶을 사는 데 필요한 모든 돈을 가질 사람이었다. 당신은 꿈을 이루며 살 사람이었다. 그것도 모든 꿈을 이루어야 할 사람이었다! 여행을 원한다면 당신은 원래 여행을 해야 할 사람이었다. 사업을 시작하고 싶다면 당신은 원래 사업을 시작해야 할 사람이었다. 춤이나 요트 조종법, 이탈리아어를 배우고 싶다면 당신은 원래 그런 것을 할 사람이었다. 음악가, 과학자, 사업가, 발명가, 연기자, 부모, 이밖에 무엇이든 되고 싶은 게 있다면 당신은 '원래' 그런 존재가 될 사람이었다!

매일 아침 잠에서 깨어날 때 당신은 그날 하루가 위대한 일로 가득할 거라는 사실을 '알고' 흥분으로 가슴이 벅찰 것이다. 당신은 원래 기쁨으로 가득한 삶을 살면서 웃어야 할 사람이었다. 당신은 강하고 안전하다는 기분을 느껴야 할 사람이었다. 스스로에 대해 기분 좋게 느끼고 자신이 소중하다는 걸 알아야 할 사람이었다. 물론 당신 삶에는 시련도 있을 것이다. 당신은 그런 시련을 겪어야 할 사람이었다. 왜냐하면 당신의 성장에 도움을 주는 시련이기 때문이다. 그러나 당신은 애초부터 문제와 어려움을 극복할 방법을 알고 있는 사람이었다. 당신은 승리를 거두어야 할 사람이었다! 당신은 원래 행복해야 할 사람이었다! 당신은 원래 '놀라운' 삶을 살아야 할 사람이었다!

당신은 발버둥 치며 살기 위해 태어나지 않았다. 당신은 어쩌다 간혹 기쁨의 순간이 찾아오는 삶을 살기 위해 태어나지 않았다. 당신은 일주일에 닷새 동안 힘겹게 일하고 주말에 잠깐 스치는 행복의 순간을 맛보기 위해 태어나지 않았다. 당신은 하루가 끝날 때 온몸에 힘이 빠진 것 같이 느끼는 제한된 에너지 속에서 살기 위해 태어나지 않았다. 당신은 걱정하고 두려워하기 위해 태어나지 않았다. 당신은 고생하기 위해 태어나지 않았다. 당신 삶의 중요한 핵심은 무엇일까? 당신은 원래 삶을 가장 완벽하게 경험하고 당신이 원하는 모든 걸 누리며, 동시에 기쁨과 건강, 활력과 흥분, 사랑으로 가득한 삶을 누려야 할 사람이었다. 바로 그런 게 놀라운 삶이기 때문이다!

당신의 꿈, 당신이 되고 싶은 존재, 당신이 하고 싶은 일, 당신이 누리고 싶은 것, 이 모든 것을 갖춘 삶은 언제나 당신이 생각하는 것보다 훨씬 가까이에 있어 왔다. 당신이 원하는 '모든 것'을 얻을 파워가 당신 안에 있기 때문이다!

> "무한한 우주를 설득하고 지배하는 최고의 힘과 지배력이 존재한다. 당신은 이 힘의 일부다."
>
> 프렌티스 멀포드 (1834-1891)
> 신사상 운동 저자

이 책에서 나는 놀라운 삶에 이르는 길을 당신 앞에 펼쳐 보이려고 한다. 당신은 스스로에 대해, 당신 삶과 우주에 대해 믿기 힘든 특별한 뭔가를 발견할 것이다. 삶은 당신이 생각하는 것보다 훨씬 더 쉽다. 삶이 이루어지는 방식과 당신 안에 있는 파워를 이해하면 당신은 삶의 마법을 온전하게 경험할 것이다. 그리고 그때 당신은 놀라운 삶을 살아갈 것이다!

자, 당신 삶의 마법을 펼쳐 보자.

파워란 무엇인가?

"나는 이 힘이 무엇인지 말할 수 없다. 내가 아는 건 오직 그 힘이
존재한다는 사실이다."

알렉산더 그레이엄 벨 (1847-1922)
전화 발명가

삶은 단순하다. 당신 삶을 이루고 있는 것은 오직 두 가지, 긍정적인
것과 부정적인 것뿐이다. 건강이든, 돈이든, 인간관계든, 일이든, 행복이
든 삶의 각 영역은 당신에게 긍정적인 것 아니면 부정적인 것이다. 당신
은 돈이 많을 수도 있고 돈이 부족할 수도 있다. 당신은 건강할 수도 있
고 건강에 자신이 없을 수도 있다. 당신의 인간관계는 행복할 수도 있고
힘들 수도 있다. 당신의 일은 신 나고 잘 풀릴 수도 있고 불만스럽고 잘
풀리지 않을 수도 있다. 당신은 행복감으로 가득할 수도 있고 오랫동안
기분이 좋지 않을 수도 있다. 당신은 좋은 시절, 좋은 시간, 좋은 나날을
보낼 수도 있고 힘든 시절, 힘든 시간, 힘든 나날을 보낼 수도 있다.

당신 삶에 긍정적인 것보다 부정적인 것이 더 많다면 뭔가가 잘못되었고, 당신은 이 사실을 알고 있다. 당신은 다른 사람들이 행복한 삶, 성취하는 삶, 위대함으로 가득한 삶을 사는 것을 보고 있으며, 무언가가 당신도 그 모든 걸 누릴 자격이 있다고 당신에게 말해 준다. 당신 생각이 옳다. 당신은 좋은 것들로 넘쳐 나는 삶을 누릴 '자격이' 있다.

위대한 삶을 사는 대부분의 사람들은 자신이 그걸 이루기 위해 무엇을 했는지 정확하게 알지 못한다. 하지만 그들은 뭔가를 '했다'. 그들은 삶의 모든 좋은 것을 만들어내는 원인, 즉 파워를 이용했다.

위대한 삶을 산 모든 사람들은 예외 없이 '사랑'으로 그런 삶을 성취해 냈다. 삶의 모든 긍정적인 것과 좋은 것을 얻는 파워는 '사랑'이다!

모든 종교, 모든 위대한 사상가, 철학가, 예언가, 지도자들이 태초부터 사랑에 대해 말하고 글을 썼다. 하지만 우리 중 많은 사람이 그들의 지혜로운 말을 올바르게 이해하지 못하고 있다. 비록 그들의 가르침이 특정한 당대 사람들을 위한 것이기는 하지만 그들이 세상에 전하는 한 가지 진리와 메시지는 오늘날에도 여전히 똑같다. 그것은 바로 '사랑'이다. 사랑하는 동안 당신은 우주에서 가장 위대한 파워를 이용하기 때문이다.

사랑의 힘

"사랑은 비록 눈에 보이지 않지만 공기나 물과 마찬가지로 실제로
존재하는 요소다. 사랑은 활동하고, 살아 있고, 움직이는 힘이다. ……
사랑은 바다처럼 파도와 흐름을 타고 움직인다."

프렌티스 멀포드 (1834-1891)

신사상 운동 저자

　세상의 위대한 사상가와 구원자가 이야기하는 사랑은 대부분의 사람들이 이해하는 사랑과 매우 다르다. 그 사랑은 가족과 친구, 당신이 좋아하는 것에 대해 느끼는 사랑 그 이상의 것이다. 사랑은 단지 느낌이 아니라 긍정적인 힘이기 때문이다. 사랑은 약하지 않고, 무기력하지 않으며, 여리지 않다. 사랑은 '바로' 삶의 긍정적인 힘이다! 사랑은 긍정적이고 좋은 '모든 것'의 원인이다. 삶의 긍정적인 힘은 수백 가지가 아니다. 한 가지뿐이다.

　중력이나 전자기 등 자연의 커다란 힘은 보이지 않으며 우리 감각으로 느끼지 못하지만 그 힘은 분명히 존재한다. 마찬가지로 사랑의 힘은 우리에게 보이지 않지만 그 파워는 자연의 그 어떤 파워보다도 훨씬 강력하다. 사랑의 파워를 보여 주는 증거는 세상 어디에서나 찾을 수 있다. 사랑이 없으면 삶도 없다.

　잠시 사랑에 대해 생각해 보자. 사랑이 없다면 세상은 어떤 모습일까? 우선 우리는 존재하지도 않았을 것이다. 사랑이 없으면 당신은 태어날 수도 없었기 때문이다. 당신 가족과 친구들도 태어나지 못했을 것이다. 사실은 지구상에 단 한 명의 인간도 존재하지 못했을 것이다. 오늘 당장 사랑의 힘이 멈춘다면 인류 전체가 줄어들다가 결국은 소멸해 버릴 것이다.

　모든 발명과 발견, 인간의 창조물 하나하나가 인간의 마음속에 있는 사랑에서 생겨났다. 라이트 형제의 사랑이 없었다면 우리는 비행기를 타고 하늘을 날지 못했을 것이다. 과학자, 발명가, 발견자가 없었다면 우리에게 전기도, 열도, 빛도 없었을 것이다. 자동차를 몰거나 전화를 걸지도 못했을 것이고 그 밖에 간편하고 안락한 삶을 약속하는 설비나 기술도 이용하지 못했을 것이다. 건축가와 건설자의 사랑이 없었다면 집도, 건물도, 도시도 없었을 것이다. 사랑이 없다면 약도, 의사도, 응급시설도 없었을 것이다. 교사도, 학교도, 교육도 없었을 것이다. 또한 책도, 그림도, 음악도 없었을 것이다. 이 모든 것이 사랑의 긍정적인 힘에서 창조되었기 때문이다. 지금 당장 당신 주위를 둘러보라. 당신 눈에 보이는 그 어떤 인간의 창조물도 사랑이 없었다면 지금 그 자리에 있지 않았을 것이다.

"사랑을 없애면 우리가 사는 지구는 무덤이다."

로버트 브라우닝 (1812-1889)
시인

사랑은 당신을 움직이는 힘이다

당신이 되고 싶은 것, 하고 싶은 것, 갖고 싶은 것은 모두 사랑에서 온다. 사랑이 없으면 당신은 움직이지 못할 것이다. 아침에 일어나고, 일하고, 놀고, 춤추고, 이야기하고, 배우고, 음악을 듣고, 그 밖에 다른 무엇을 하든 당신을 부추기는 긍정적인 힘이 없어지기 때문이다. 당신은 돌조각 같은 존재가 될 것이다. 당신이 움직이도록 격려하고, 뭔가 되고 싶다거나, 뭔가를 하고 싶다거나, 뭔가를 갖고 싶은 바람이 들도록 하는 것이 사랑의 긍정적인 힘이다. 사랑의 긍정적인 힘에 의해 당신 삶에서 좋은 것이 생기고, 좋은 것이 늘어나며, 부정적인 것이 변화될 수 있다. 당신은 건강, 부, 일, 인간관계, 그 밖에 삶의 모든 영역을 관장하는 파워를 지니고 있다. 그리고 그런 파워, 즉 사랑이 당신 안에 있다!

그런데 삶을 관장하는 파워가 당신에게 있고 그 파워가 당신 안에 있다면 왜 당신은 놀라운 삶을 살고 있지 않을까? 당신 삶의 모든 영역이 왜 멋지지 않을까? 왜 당신이 원하는 모든 걸 누리지 못할까? 왜 당신이 하고 싶은 모든 것을 지금까지 하지 못했을까? 왜 당신은 하루하루 기쁨으로 가득 찬 삶을 살지 못할까?

답은 간단하다. 당신에게 선택권이 있기 때문이다. 당신은 긍정적인 힘을 사랑하고 활용할 것인지, 그렇지 않을 것인지에 관한 선택권이 있다.

깨닫고 있든 그렇지 않든 당신은 살아가는 동안 매일, 아니 삶의 매 '순간' 이러한 선택을 해 왔다. 당신이 삶에서 좋은 것을 경험하는 매 순간 예외 없이 당신은 사랑의 긍정적인 힘을 사랑했고 이를 활용했다. 당신이 좋지 않은 것을 경험하는 매 순간 당신은 사랑을 하지 않았고 그 결과는 부정적인 것으로 나타났다. 사랑은 당신 삶에서 모든 좋은 것의 원인이며, 사랑의 부족은 모든 부정적인 것, 모든 고통과 고생의 원인이다. 비극적인 일이지만 오늘날 지구상에 존재하는 모든 사람들의 삶에서, 그리고 인류의 역사 전체에서 사랑의 파워를 깨닫거나 이해하지 못하는 모습들이 뚜렷하게 나타난다.

"사랑은 세상에서 가장 강력하면서도 아직까지 가장 알려지지 않은 에너지다."

피에르 테이야르 드 샤르댕 (1881–1955)
예수회 목사이자 철학자

자, 당신은 삶의 모든 좋은 것에 다가가는 단 한 가지 파워에 대해 깨달음을 얻었으며 이 파워를 이용하여 당신 삶 전체를 바꿀 수 있을 것이다. 그러나 우선 사랑이 어떻게 작용하는지 '정확하게' 이해할 필요가 있다.

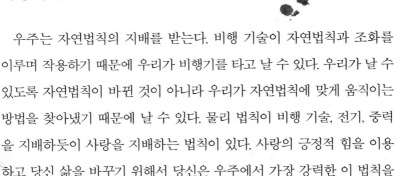

사랑의 법칙

우주는 자연법칙의 지배를 받는다. 비행 기술이 자연법칙과 조화를 이루며 작용하기 때문에 우리가 비행기를 타고 날 수 있다. 우리가 날 수 있도록 자연법칙이 바뀐 것이 아니라 우리가 자연법칙에 맞게 움직이는 방법을 찾아냈기 때문에 날 수 있다. 물리 법칙이 비행 기술, 전기, 중력을 지배하듯이 사랑을 지배하는 법칙이 있다. 사랑의 긍정적 힘을 이용하고 당신 삶을 바꾸기 위해서 당신은 우주에서 가장 강력한 이 법칙을 이해해야 한다. 그것은 바로 끌어당김의 법칙이다.

가장 커다란 것에서 가장 작은 것에 이르기까지, 우주의 별이 그 자리에 떠 있게 하고 모든 원자와 분자를 구성하는 것이 바로 끌어당김의 법칙이다. 태양이 끌어당기는 힘은 우리 태양계의 행성들이 우주 공간으로 튕겨 나가지 않고 태양계 안쪽에 자리 잡을 수 있도록 해 준다. 중력이 끌어당기는 힘은 당신과 모든 사람, 동물, 식물, 광물이 지구 위에 자리 잡을 수 있도록 해 준다. 벌을 끌어당기는 꽃, 태양에서 영양분을 끌어당기는 씨앗, 저마다의 종에게 끌리는 모든 생물종 등 끌어당기는 힘은 자연에서도 볼 수 있다. 끌어당기는 힘은 바다 속 물고기와 하늘을 나는 새 등 지구상 모든 동물에게도 작용하며, 이들이 무리를 만들고 떼를 짓도록 한다. 끌어당기는 힘은 당신 몸의 세포를 결합시키고 당신 집을 짓는 데 쓰인 재료를 결합시키며 당신이 앉아 있는 의자도 단단하게 만들어 준다. 또한 당신의 차가 길 위를 달리게 하고, 당신의 유리잔에 물이 담기게 해 준다. 당신이 이용하는 모든 물체는 끌어당기는 힘에 의해 결합되어 있다.

끌어당김은 사람과 사람을 잡아당기는 힘이다. 이 힘이 사람들을 잡아당겨 도시와 국가, 집단과 클럽, 공동의 이익을 지닌 모임을 만든다. 이 사람을 과학으로, 저 사람을 요리로 잡아끄는 것도 이 힘이다. 사람들은 이 힘에 의해 여러 가지 스포츠나 다양한 양식의 음악, 특정 동물이나 애완동물에게 끌린다. 좋아하는 사물이나 장소에 끌리는 것도, 친구나 사랑하는 사람에게 끌리는 것도 이 힘 때문이다.

사랑이 끌어당기는 힘

그렇다면 끌어당기는 힘이란 무엇인가? 끌어당기는 힘은 사랑의 힘이다! 끌어당김이 '곧' 사랑이다. 좋아하는 음식에 끌릴 때 그 음식에 사랑을 느낀다. 끌림이 없다면 아무것도 느끼지 못할 것이다. 당신에게 모든 음식이 똑같을 것이다. 당신이 무엇을 좋아하는지, 무엇을 좋아하지 않는지 알지 못할 것이다. 그 어떤 것에도 끌리지 않기 때문이다. 당신은 다른 사람에게도, 특정 도시에도, 집에도, 차에도, 스포츠에도, 일에도,

음악에도, 옷에도, 그 어떤 것에도 끌리지 않을 것이다. 당신은 끌어당기는 힘을 통해서 사랑을 느끼기 때문이다!

"끌어당김의 법칙이나 사랑의 법칙은…… 똑같은 한 가지다."

찰스 해낼 (1866-1949)
신사상 운동 저자

끌어당김의 법칙이 '곧' 사랑의 법칙이다. 끌어당김의 법칙은 수많은 은하에서 원자에 이르기까지 모든 것이 조화로운 상태를 유지하도록 하는 전능한 힘이다. 끌어당김의 법칙은 우주에 존재하는 모든 것 속에서 작용하며, 또한 모든 것을 통해서 작용한다. 이 법칙은 당신 삶에서도 작용한다.

끌어당김의 법칙은 보편적인 관점에서 이렇게 말한다. 좋은 것은 좋은 것을 끌어당긴다. 이 말을 당신 삶의 단순한 관점으로 다시 옮기면 이렇다. 당신은 '주는' 대로 '받는다'. 당신이 살아가면서 무엇을 주든 살아가면서 그대로 돌려받는다. 당신이 무엇을 주든 끌어당김의 법칙에 따라 그것이 당신에게 그대로 끌려온다.

"모든 작용에는 그에 해당하는 반작용이 있다."

아이작 뉴턴 (1643-1727)
수학자이자 물리학자

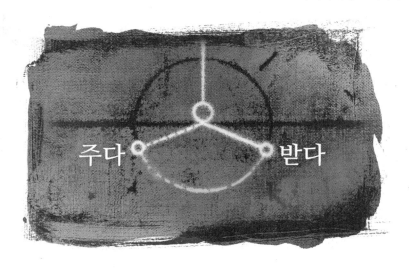

'주는' 작용은 '받는' 반작용을 만들어 내며, 당신이 준 것과 똑같은 것을 그대로 돌려받는다. 당신이 살면서 무엇을 주었든 그것은 반드시 당신에게 돌아온다. 이는 우주의 물리학이며 수학이다.

긍정성을 '주면' 긍정성을 그대로 '돌려받는다'. 부정성을 '주면' 부정성을 그대로 '돌려받는다'. 긍정성을 주면 긍정적인 것으로 가득한 삶을 돌려받는다. 부정성을 주면 부정적인 것으로 가득한 삶을 돌려받는다. 그렇다면 어떻게 해서 긍정성이나 부정성을 주게 되는가? 당신의 생각과 느낌을 통해서 이루어진다!

어느 순간에든 당신은 긍정적인 생각을 내보내거나 부정적인 생각을 내보내고 있다. 긍정적인 느낌을 내보내거나 부정적인 느낌을 내보내고 있다. 그것이 긍정적인 생각 또는 느낌인지 아니면 부정적인 생각 또는 느낌인지에 따라 당신이 살아가면서 무엇을 돌려받을지 정해진다. 당신 삶의 매 순간을 구성하는 모든 사람, 모든 상황, 모든 사건은 당신이 내보낸 생각과 느낌을 통해 당신에게 끌려온다. 당신 삶의 일들이 그냥 일어나지는 않는다. 당신이 무엇을 '내보냈는지'에 따라 당신 삶의 모든 것을 '돌려받는다'.

"주라, 그리하면 너희에게 줄 것이니…… 너희가 헤아리는 그 헤아림으로 너희도 헤아림을 도로 받을 것이니라."

예수 (기원전 5년경-기원후 30년경)
그리스도교 창시자, 「누가복음」 6장 38절

당신이 무엇을 주었든 그대로 돌려받는다. 친구가 이사할 때 도움을 주면 분명히 그 도움이 빛의 속도로 당신에게 돌아올 것이다. 당신을 실망시킨 가족에게 화를 내면 그 화 역시 당신 삶에서 상황이라는 옷을 바꿔 입고 당신에게 돌아올 것이다.

당신은 생각과 느낌으로 삶을 창조하고 있다. 당신이 무슨 생각을 하고 무엇을 느끼든 그것이 곧 당신에게 일어나는 모든 일, 당신이 삶에서 경험할 모든 것을 창조한다. "오늘은 힘들고 스트레스로 가득한 하루였어."라고 생각하고 느끼면 당신에게 힘들고 스트레스로 가득한 하루를 만들어 줄 모든 사람과 상황, 일이 당신에게 끌려온다.

"나는 사는 게 정말 좋아."라고 생각하고 느끼면 당신에게 정말로 좋은 삶을 만들어 줄 모든 사람과 상황, 일이 당신에게 끌려온다.

당신은 자석이다

끌어당김의 법칙은 당신이 내보낸 것을 바탕으로 하여 어김없이 당신 삶의 모든 것 하나하나를 당신에게 돌려준다. 당신이 내보낸 생각과 느낌을 바탕으로 부와 건강, 인간관계, 일, 당신 삶의 모든 사건과 경험이 당신에게 끌려온다. 돈에 대해 긍정적인 생각과 느낌을 내보내면 좀 더 많은 돈이 생기는 긍정적 상황, 긍정적 사람, 긍정적 사건이 끌려온다. 돈에 대해 부정적인 생각과 느낌을 내보내면 당신에게 돈이 부족한 상태를 가져올 부정적 상황, 부정적 사람, 부정적 일이 끌려온다.

"인류가 의식적으로 사랑의 법칙을 따를지 어떨지 나는 알지 못한다. 하지만 그렇다고 날 가로막지는 못한다. 우리가 받아들이든 그렇지 않든 간에 중력의 법칙이 작용하는 것과 마찬가지로 사랑의 법칙도 작용할 것이다."

마하트마 간디 (1869-1948)
인도의 정치 지도자

끌어당김의 법칙은 당신이 생각하고 느끼는 그대로 당신에게 반응한다. 당신의 생각과 느낌이 좋은 것이든 나쁜 것이든 상관하지 않는다. 당신이 생각과 느낌을 내보내면 마치 메아리가 당신의 말을 똑같이 되돌려 주듯이 그대로, 또 저절로 당신의 생각과 느낌이 당신에게 돌아온다. 하지만 이는 곧 당신의 생각과 느낌을 바꿈으로써 삶을 바꿀 수 있다는 의미다. 긍정적인 생각과 느낌을 내보내라. 그러면 당신의 삶 전체를 바꾸게 될 것이다!

긍정적인 생각과 부정적인 생각

생각이란 머릿속에서 들리는 말과 소리 내어 하는 말 두 가지 모두를 뜻한다. 누군가에게 "정말 좋은 날이에요!"라고 말할 때는 생각이 먼저 떠오르고 그 다음에 말을 한다. 생각은 또한 행동으로 나타난다. 아침에 자리에서 일어날 때는 행동을 하기 전에 먼저 자리에서 일어난다는 생각이 머릿속에 들어 있었다. 먼저 생각하지 않는다면 어떤 행동도 할 수 없다.

긍정적인 말이나 행동을 할지 아니면 부정적인 말이나 행동을 할지는 생각에 의해 정해진다. 하지만 긍정적인 생각인지 부정적인 생각인지 어떻게 알 수 있을까? 당신이 원하고 좋아하는 것에 대한 생각은 긍정적인 생각이다! 당신이 원하지 않고 좋아하지 않는 것에 대한 생각은 부정적인 생각이다. 아주 간단하고 쉽다.

삶에서 무엇을 원하든 당신은 그것을 사랑하기 때문에 원한다. 잠깐 이에 대해 생각해 보라. 좋아하지 않는 것을 원하지는 않는다. 모두 자신이 좋아하는 것을 원할 뿐이다. 좋아하지 않는 것을 원하는 사람은 아무도 없다.

"난 저 구두가 마음에 꼭 들어. 저 구두가 예뻐."처럼 당신이 원하고 좋아하는 것을 생각하거나 말할 때 당신의 생각은 긍정적이다. 이 긍정적 생각은 당신이 좋아하는 것, 즉 예쁜 구두가 되어 당신에게 돌아온다. "저 구두 가격 좀 봐. 그야말로 강도가 따로 없네."처럼 당신이 원하지 않고 좋아하지 않는 것을 생각하거나 말할 때 당신의 생각은 부정적이다. 이 부정적 생각은 당신이 좋아하지 않는 것, 즉 너무 비싸서 당신이 사지 못하는 것이 되어 당신에게 돌아온다.

사람들은 대개 자신이 좋아하는 것에 대해 말하고 생각하기보다는 좋아하지 않는 것에 대해 '더 많이' 생각하고 말한다. 사람들은 사랑보다 부정성을 더 많이 내보내고, 그렇게 하는 과정에서 무심코 자기 삶의 좋은 것들을 스스로에게서 빼앗는다.

사랑 없이는 위대한 삶이 불가능하다. 위대한 삶을 사는 사람들은 좋아하지 않는 것보다 좋아하는 것을 '더 많이' 생각하고 이야기한다! 발버둥 치며 살아가는 사람들은 좋아하는 것보다 좋아하지 않는 것을 '더 많이' 생각하고 이야기한다.

> "삶의 모든 무게와 고통으로부터 우리를 자유롭게 해 주는 말 하나가 있다. 바로 사랑이다."
>
> *소포클레스* (기원전 496~406)
> 그리스 극작가

당신이 좋아하는 것에 대해 말하라

돈이나 인간관계, 병, 혹은 사업 수익이 악화되는 것에 대해 말한다면 당신이 좋아하는 것에 대해 말하는 게 아니다. 신문에 실린 나쁜 소식,

당신을 괴롭히거나 실망시킨 사람이나 사건에 대해 말한다면 당신이 좋아하는 것에 대해 말하는 게 아니다. 약속에 늦거나 교통 체증에 시달리거나 버스를 놓치는 등 좋지 않은 하루를 보낸 것에 대해 이야기하면 당신이 좋아하지 않는 것에 대해 말하는 것이다. 매일매일 사소한 일들이 많이 일어난다. 당신이 좋아하지 않는 것에 대한 이야기에 몰두한다면 그런 사소한 일들이 당신 삶에 고난과 어려움을 더 많이 가져올 것이다.

그날의 좋은 소식에 대해 이야기해야 한다. 잘 풀렸던 약속에 대해 말하라. 당신이 시간에 맞춰 도착하는 걸 얼마나 좋아하는지 말하라. 건강한 활력이 넘쳐서 얼마나 좋은지 말하라. 사업에서 얻고 싶은 수익에 대해 말하라. 잘 풀렸던 그날 하루의 상황과 만남에 대해 말하라. 당신이 좋아하는 것을 당신 삶에 불러들이기 위해서는 당신이 좋아하는 것에 대해 말해야 한다.

생각 없이 부정적인 것을 자꾸 되뇌고 당신이 좋아하지 않는 것에 대해 떠들어 댄다면 당신은 말 그대로 새장에 갇힌 앵무새처럼 스스로 감옥에 갇힌다. 당신이 좋아하지 않는 것에 대해 말할 때마다 새장에 또 다른 철장을 하나씩 덧대고 모든 좋은 것이 오지 못하도록 스스로를 닫아 버린다.

위대한 삶을 사는 사람들은 그들이 좋아하는 것에 대해 '더 많이' 말한다. 그럼으로써 삶의 모든 좋은 것에 아무 제한 없이 다가가며 하늘 위로 날아오르는 새처럼 자유를 누린다. 위대한 삶을 살기 위해서는 당신을 가둔 새장의 철장을 부러뜨려야 한다. 사랑을 베풀고 당신이 좋아하는 것에 대해서만 말하라. 그러면 사랑이 당신을 자유롭게 할 것이다!

"진리를 알지니 진리가 너희를 자유롭게 하리라."

예수 (기원전 5년경-기원후 30년경)
그리스도교 창시자, 「요한복음」 8장 32절

사랑의 힘에는 불가능이 없다. 당신이 어떤 사람이든, 어떤 상황에 놓여 있든 사랑의 힘은 당신을 자유롭게 할 수 있다.

나는 오로지 사랑 하나만으로 새장의 철장을 끊어 버린 한 여자의 이야기를 알고 있다. 그녀는 20년 동안 폭력 남편에게 시달린 뒤 가난 속에 내던져져 홀로 아이들을 키워야 했다. 극한의 어려움에 직면했지만 여자는 분노와 화와 어떤 나쁜 감정도 자기 안에 뿌리내리지 못하게 했다. 전남편에 대한 부정적인 이야기를 결코 하지 않았으며 그 대신 미래에 완벽하고 멋진 남편을 만나 유럽 여행을 하는 꿈에 대한 긍정적인 생각과 말만 했다. 여행비용이 없는데도 여권을 만들었으며 꿈에 그리는 유럽 여행에 필요할 작은 물품들을 샀다.

그러고는 완벽하고 멋진 새 남편을 만났다. 그들은 결혼한 뒤 바다가 내다보이는 스페인의 남편 집으로 갔고, 그곳에서 지금 행복하게 살고 있다.

이 여자는 자기가 좋아하지 않는 것에 대해 말하지 않으려 했다. 그 대신 사랑을 베풀고 자신이 좋아하는 것에 대해 생각하고 말했으며, 그러는 과정에서 역경과 고난으로부터 스스로를 자유롭게 풀어 주고 멋진 삶을 누렸다.

당신은 스스로의 삶을 바꿀 수 있다. 당신이 좋아하는 것에 대해 생각하고 말할 수 있는 무한한 능력이 있기 때문이며, 삶의 모든 좋은 것을 불러들일 무한한 능력이 있기 때문이다! 그런데 당신이 가진 파워는 당신이 좋아하는 것에 대해 긍정적 생각과 말을 내보내는 것보다 훨씬 더 위대하다. 왜냐하면 끌어당김의 법칙은 당신의 생각'뿐만 아니라' 당신의 느낌에도 반응하기 때문이다. 사랑의 파워를 이용하기 위해서는 사랑을 '느껴야' 한다!

"사랑은 율법의 완성이니라."

사도 바울 (5년경-67년경)

그리스도의 사도, 「로마서」 13장 10절

파워의 핵심 포인트

- 사랑은 약하지 않고, 무기력하지 않으며, 여리지 않다. 사랑은 삶의 긍정적인 힘이다! 사랑은 긍정적이고 좋은 모든 것의 원인이다.

- 당신이 되고 싶은 것, 하고 싶은 것, 갖고 싶은 것은 모두 사랑에서 온다.

- 사랑의 긍정적인 힘에 의해 당신 삶에서 좋은 것이 생기고, 좋은 것이 늘어나며, 부정적인 것이 변화될 수 있다.

- 매일 매 순간 당신은 긍정적인 힘을 사랑하고 이용할 것인지 아닌지 선택한다.

- 끌어당김의 법칙은 사랑의 법칙이며 당신 삶에서 작용하고 있다.

- 당신이 살아가면서 무엇을 내보내든 그대로 돌려받는다. 긍정성을 내보내면 긍정성을 돌려받고, 부정성을 내보내면 부정성을 돌려받는다.

- 삶의 일들이 그냥 일어나지는 않는다. 당신이 무엇을 내보냈는지에 따라 당신 삶의 모든 것을 돌려받는다.

- 당신의 생각과 느낌이 좋은 것이든 나쁜 것이든 메아리처럼 그대로, 그리고 저절로 당신에게 돌아온다.

- 위대한 삶을 사는 사람들은 그들이 좋아하지 않는 것보다 그들이 좋아하는 것에 대해 더 많이 이야기한다!

- 그날의 좋은 소식에 대해 이야기하라. 좋아하는 것에 대해 이야기하라. 그러면 당신이 좋아하는 것이 당신에게 올 것이다.

- 당신은 좋아하는 것에 대해 생각하고 말할 수 있는 무한한 능력이 있다. 그러므로 삶의 모든 좋은 것을 당신에게로 불러들일 무한한 능력이 있다!

- 사랑하라. 당신은 사랑할 때 우주에서 가장 커다란 힘을 이용한다.

감정의 파워

"감정에 비밀이 들어 있다."

네빌 고더드 (1905-1972)
신사상 운동 저자

당신은 느끼는 존재다

당신은 태어나는 순간부터 늘 뭔가를 느끼며 그때마다 매번 다른 사람이 된다. 잠을 자는 동안 의식적 생각을 멈출 수는 있지만 느끼는 것까지 멈출 수는 없다. 살아 있다는 건 삶을 느끼는 것이기 때문이다. 당신은 뼛속까지 속속들이 느끼는 "존재"다. 따라서 신체의 모든 부분이 삶을 느낄 수 있도록 만들어진 건 결코 우연이 아니다!

당신은 삶의 모든 것을 느낄 수 있도록 시각, 청각, 미각, 후각, 촉각을 갖고 있다. 이것은 "느끼는" 감각이다. 이 감각들이 있기에 당신은 무엇이 보이는지 느낄 수 있고, 무엇이 들리는지 느낄 수 있으며, 무엇을 맛보는지 느낄 수 있고, 무슨 냄새를 맡는지 느낄 수 있으며, 무엇을 만지는지 느낄 수 있다. 당신의 몸 전체는 섬세한 피부층으로 덮여 있으며, 이것이 느끼는 기관이기 때문에 당신은 모든 것을 '느낄' 수 있다.

어느 한순간 느끼는 감정은 다른 무엇보다도 중요하다. 지금 이 순간의 감정이 당신의 삶을 창조하기 때문이다.

당신이 느끼는 감정이 연료다

생각과 말은 감정이 없다면 삶에서 아무런 힘을 갖지 못한다. 당신은 하루에 수없이 많은 생각을 하지만 이 중 많은 생각이 당신 안에 강렬한 감정을 불러일으키지 못해서 결국은 아무 소용도 없어진다. 중요한 건 당신이 어떤 감정을 '느끼는가'이다!

당신의 생각과 말이 로켓이고 당신의 감정은 연료라고 상상하라. 연료가 없다면 로켓 자체는 아무것도 할 수 없는 정지된 수단이다. 로켓을 띄워 올리는 힘이 연료이기 때문이다. 생각과 말도 마찬가지다. 감정이 없다면 생각과 말 자체는 아무것도 할 수 없는 수단이다. 당신이 느끼는 감정이 생각과 말의 힘이기 때문이다!

"우리 사장, 도저히 못 참겠어."라고 생각한다면 이 생각은 당신이 사장에 대해 갖는 강한 부정적 '감정'을 표현하며 당신은 그런 부정적 '감정'을 내보내고 있다. 그 결과 당신과 사장의 관계는 앞으로도 계속 나빠

질 것이다.

"나는 멋진 사람들과 일하고 있어."라고 생각한다면 이 말은 함께 일하는 사람들에게 느끼는 긍정적 '감정'을 표현하며 당신은 그런 긍정적 '감정'을 내보내고 있다. 그 결과 당신과 동료들의 관계는 앞으로 계속 좋아질 것이다.

"감정을 불러일으켜서 생각에 느낌을 부여해야 생각이 구체화된다."

찰스 해널 (1866-1949)

신사상 운동 저자

좋은 감정과 나쁜 감정

삶의 다른 모든 것과 마찬가지로 감정도 긍정적인 것이 있는가 하면 부정적인 것이 있다. 그러므로 당신은 좋은 감정을 느낄 수도 있고 나쁜 감정을 느낄 수도 있다. 모든 좋은 감정은 사랑에서 생긴다! 그리고 모든 부정적 감정은 사랑이 부족해서 생긴다. 기쁠 때에는 기분이 좋으며, 이와 같이 기분 좋은 감정을 느낄수록 사랑을 더 많이 내보낸다. 그리고 더 많은 사랑을 '내보낼수록' 더 많이 '돌려받는다'.

절망할 때에는 기분이 나쁘며 이와 같이 기분 나쁜 감정을 느낄수록 부정성을 더 많이 내보낸다. 또한 부정성을 많이 내보낼수록 살아가면서 부정성을 더 많이 돌려받는다. 부정적인 감정이 들 때 기분이 나빠지는 이유는 '사랑'이 삶의 긍정적인 힘이기 때문이며 부정적인 감정 속에는 충분한 사랑이 없기 때문이다!

기분이 좋아질수록 삶이 좋아진다.

기분이 나빠질수록 삶이 나빠진다. 이는 당신의 기분이 바뀔 때까지 계속된다.

기분이 좋을 때에는 저절로 좋은 생각이 든다. 기분 좋게 느끼면서 동시에 부정적 생각을 할 수는 없다! 마찬가지로 기분 나쁘게 느끼면서 동시에 좋은 생각을 할 수도 없다.

감정은 그 순간 당신이 어떤 것을 내보내고 있는지 그대로 보여 주는 거울이며 아주 정밀한 수준까지 측정해 내는 정확한 척도다. 기분이 좋을 때에는 생각도, 말도, 행동도 모두 좋아지므로 다른 어떤 것도 걱정할 필요가 없다. 그저 기분 좋게 느끼는 것만으로도 사랑을 주고 있다는 게 증명되며 그 사랑은 모두 반드시 당신에게 돌아온다!

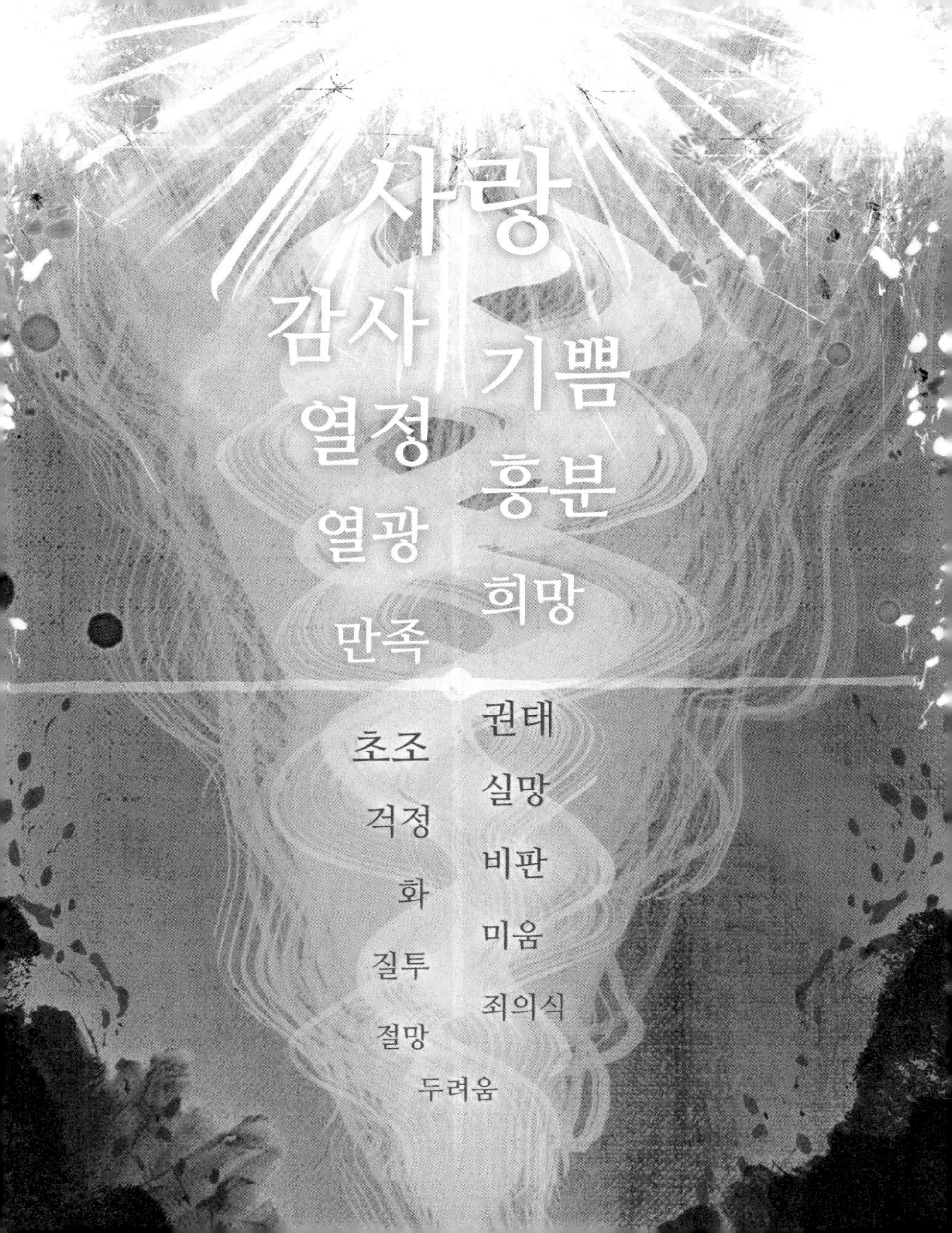
사랑
감사
기쁨
열정
흥분
열광
희망
만족
권태
초조
실망
걱정
비판
화
미움
질투
죄의식
절망
두려움

좋다는 것은 그야말로 좋다는 뜻이다

대다수 사람들은 기분이 좋다는 게 어떤 느낌인지, 기분이 정말 나쁘다는 게 어떤 느낌인지 이해하지만 자신들이 아주 많은 시간 동안 부정적인 감정을 느끼며 살고 있다는 것은 깨닫지 못한다. 사람들의 견해로 볼 때 기분이 나쁘다는 것은 극도의 부정성, 예를 들면 슬픔, 비통함, 화, 두려움을 느끼는 것이다. 또 기분이 나쁘다는 것에 이런 감정들이 포함되는 한편 부정적인 감정에도 정도의 차이가 많다고 믿는다.

대체로 "괜찮다."고 느끼는 경우 당신은 이런 감정이 정말로 기분이 나쁜 감정은 아니므로 "괜찮다."고 느끼는 것 역시 긍정적인 감정이라고 생각할 것이다. 당신이 정말로 기분이 나빴다가 이제 괜찮아졌다고 느낀다면 이때 괜찮다고 느끼는 감정은 분명히 기분이 정말로 나쁜 것보다는 훨씬 좋은 것이다. 그러나 대부분의 시간 동안 괜찮다고 느끼는 것은 부정적 감정이다. 괜찮다는 느낌은 기분 좋은 감정이 아니기 때문이다. 기분 좋은 감정은 그야말로 기분 좋은 느낌을 의미한다! 좋은 감정이란 당신이 행복하고, 기쁘고, 신 나고, 열광하고, 열정으로 가득 차 있는 것을 의미한다. 대체로 괜찮다고 느끼거나 특정 감정이 아주 강하게 들지 않는 경우 당신의 삶은 대체로 괜찮거나 그렇게 대단하지는 않을 것이다! 그런 삶은 좋은 삶이 아니다. 좋은 감정이란 정말로 기분 좋게 느끼는 것을 의미하며, 정말로 기분 좋게 느껴야 정말로 좋은 삶을 불러들인다!

"사랑의 척도는 측량할 수 없는 사랑이다."

클레르보의 성 베르나르 (1090-1153)
그리스도교 수도사이자 신비주의자

기쁨을 느낄 때 당신은 기쁨을 내보내며, 어디를 가든 기쁜 경험, 기쁜 상황, 기쁜 만남을 돌려받을 것이다. 좋아하는 노래가 라디오에서 흘러나오는 작은 경험에서부터 연봉 인상이라는 좀 더 큰 경험까지, 당신이 경험하는 이 모든 상황은 끌어당김의 법칙이 당신의 기쁨에 반응한 결과다. 초조하게 느낄 때 당신은 초조함을 내보내며 어디를 가든 초조한 경험, 초조한 상황, 초조한 만남을 돌려받을 것이다. 모기 한 마리가 주변에서 앵앵거리는 사소한 초조함에서부터 자동차가 고장 나는 좀 더 심각한 초조함에 이르는 모든 경험은 끌어당김의 법칙이 당신의 초조함에 반응한 결과다.

모든 좋은 감정은 당신을 사랑의 힘과 연결시킨다. 모든 좋은 감정의 근원이 사랑이기 때문이다. 열광, 흥분, 열정의 감정은 사랑에서 생긴다. 이러한 감정을 일관되게 느낄 때 당신에게 열광, 흥분, 열정이 가득한 삶이 찾아온다.

좋은 감정의 볼륨을 높임으로써 좋은 감정의 파워를 최대한 활용할 수 있다. 감정의 볼륨을 높이기 위해서는 감정을 적극적으로 받아들이고 의도적으로 감정을 키워서 기분이 최대한 좋아지도록 해야 한다. 열광을 증폭시키기 위해서는 열광하는 감정 속에 푹 빠져야 한다. 열광하는 감정을 강하게 느낌으로써 당신이 할 수 있는 한 모든 것에서 감정을 짜내야 한다! 열정이나 흥분을 느낄 때에는 이 감정에 푹 빠지고, 최대한 마음 깊이 이 감정을 느낌으로써 더욱 강렬하게 만들어야 한다. 좋은 감정을 증폭시킬수록 당신은 사랑을 더 많이 내보내고, 앞으로 살아가면서 엄청난 결과를 돌려받는다.

좋은 감정을 느낄 때 당신이 좋아하는 것에 눈길을 돌림으로써 이 감정을 증폭시킬 수도 있다. 나는 책상 앞에 앉아 이 책을 쓰기 전에 매일 몇 분 동안 좋은 감정을 증폭시키는 데 시간을 할애했다. 나는 좋은 감정을 증폭시키기 위해 내가 좋아하는 모든 것을 생각했다. 가족, 친구, 가정, 정원의 꽃, 날씨, 색깔, 상황, 특별한 행사, 그리고 지난주, 지난달, 지난해 일어났던 좋은 일 등 내가 좋아하는 것들을 차례차례 쉬지 않고 열거했다. 날아갈 듯한 기분이 들 때까지 좋아하는 것들을 마음속으로 계속 열거했다. 그런 다음 책상 앞에 앉아 글을 썼다. 좋은 감정을 증폭시키는 것은 이렇게 매우 쉽고 언제 어디서든 할 수 있다.

당신이 무엇을 내보내는지 감정에 나타나 있다

지금까지 좋은 감정을 더 많이 내보냈는지 아니면 나쁜 감정을 더 많이 내보냈는지는 삶의 여러 중요한 영역을 보면 바로 알 수 있다. 돈, 건강, 일, 모든 인간관계 등 삶의 각 주제에 대해 느끼는 '감정'은 지금까지 그 주제에 대해 당신이 무엇을 내보냈는지 정확하게 보여 준다.

돈을 생각할 때 당신이 느끼는 감정은 당신이 돈에 대해 무엇을 내보내는지 나타낸다. 돈이 넉넉하지 않아서 돈 생각을 할 때 기분이 나쁘다면 당신은 돈이 넉넉하지 않은 부정적인 상황과 경험을 돌려받을 것이다. 당신이 부정적인 감정을 내보내기 때문이다.

일 생각을 할 때 당신이 느끼는 감정은 일에 대해 당신이 무엇을 내보내는지 말해 준다. 일에 대해 기분 좋은 감정을 느끼면 반드시 일에서 긍정적인 상황과 경험을 돌려받는다. 당신이 긍정적 감정을 내보내기 때문이다. 가족과 건강, 그 밖에 당신에게 중요한 주제를 생각할 때 당신이 느끼는 감정은 당신이 무엇을 내보내는지 말해 준다.

"당신이 느끼는 기분과 감정에 유의하라. 당신의 감정과 보이는 세계 사이에는 연속적인 연관성이 있기 때문이다."

네빌 고더드 (1905-1972)

신사상 운동 저자

삶의 일들은 당신 앞에 그냥 일어나는 게 아니라 당신에게 '반응한다'. 삶은 당신이 불러낸 것이다! 삶의 모든 영역은 당신이 불러낸 것이다. 당신은 당신 삶을 창조하는 사람이다. 당신은 당신 인생 이야기를 쓰는 사람이다. 당신은 당신 인생을 그린 영화의 감독이다. 당신의 삶이 어떻게 될지는 당신이 정한다. 바로 당신이 내보낸 것을 통해서.

당신이 느낄 수 있는 좋은 감정에는 무한한 차원이 있다. 이는 당신이 돌려받는 삶의 높이가 끝도 없이 높다는 의미다. 물론 점점 더 부정적으로 흘러가는 나쁜 감정에도 여러 차원이 있지만 나쁜 감정에는 당신이 더 이상 견딜 수 없는 바닥이 있다. 이 바닥에 닿으면 당신은 어쩔 수 없이 다시 좋은 감정을 선택하게 된다.

좋은 감정을 느낄 때에는 날아갈 듯한 기분이 들고 나쁜 감정을 느낄 때에는 기분이 정말 나빠지는데, 이는 요행도, 우연도 아니다. 사랑은 삶을 지배하는 최고의 파워이며 당신의 좋은 감정을 통해서 당신을 부르고 당신을 끌어당긴다. 그리하여 당신은 원래 당신이 살아야 할 삶을 살게 된다. 또한 사랑은 당신의 나쁜 감정을 통해서 당신을 부른다. 나쁜 감정은 당신이 삶의 긍정적 힘과 분리되어 있다는 것을 말해 주기 때문이다!

모든 것은 당신이 느끼는 감정에 달려 있다

삶의 모든 것은 당신이 어떤 감정을 느끼는지에 달려 있다. 당신이 느끼는 감정이 바탕이 되어 삶의 모든 결정이 내려진다. 당신의 삶 전체에 동기를 부여하는 하나뿐인 파워가 바로 감정이다!

삶에서 무엇을 원하든 당신은 그것을 좋아하기 때문에, 그리고 좋은 '감정'을 불러일으키기 때문에 그것을 원한다. 당신이 삶에서 원하지 않는 것이 무엇이든 당신에게 나쁜 '감정'을 일으키기 때문에 그것을 원하지 않는다.

건강하면 기분이 좋고 아프면 기분이 나쁘기 때문에 당신은 건강을 원한다. 당신이 좋아하는 것을 사거나 당신이 좋아하는 일을 할 때 기분이 좋기 때문에, 그리고 그럴 수 없을 때에는 기분이 나쁘기 때문에 당신은 돈을 원한다. 행복한 인간관계는 당신을 기분 좋게 하고 힘든 인간관계는 당신을 기분 나쁘게 하기 때문에 당신은 행복한 인간관계를 원한다. 행복은 기분이 좋고 불행은 기분이 나쁘기 때문에 당신은 행복을 원한다.

  당신이 뭔가를 원하는 동기는 모두 그것이 당신에게 좋은 감정을 가져다주기 때문이다! 어떻게 해야 당신이 삶에서 원하는 좋은 것들을 얻을 수 있을까? 바로 좋은 감정을 통해서다! 돈이 당신을 원한다. 건강이 당신을 원한다. 행복이 당신을 원한다. 당신이 좋아하는 모든 것들이 당신을 원한다! 이런 것들은 어느 날 갑자기 당신 삶 속으로 들어오지만 당신은 이것을 불러들이기 위해 좋은 감정을 내보내야 한다. 삶의 환경을 바꾸기 위해 발버둥 치거나 씨름할 필요가 없다. 그저 좋은 감정을

통해 사랑을 내보내기만 하면 된다. 그러면 당신이 원하는 것이 나타날 것이다!

좋은 감정은 사랑의 힘을 이용하며 이 힘은 삶에서 모든 좋은 것을 얻는 파워다. 좋은 감정을 느끼는 동안 당신은 이대로 가면 원하는 것을 얻을 수 있다고 여긴다. 좋은 감정을 느끼는 동안 당신은 이 상태가 계속될 때 삶이 좋아질 거라고 여긴다! 그러나 당신은 그보다 먼저 좋은 감

정을 내보내야 한다!

"내게 좋은 집이 생기면 행복할 거야." "직장이 생기거나 승진하면 행복할 거야." "아이들이 대학을 졸업하면 행복할 거야." "돈이 더 많으면 행복할 거야." "여행을 할 수 있으면 행복할 거야." "사업이 성공하면 행복할 거야." 지금까지 살아오는 동안 스스로에게 이렇게 말해 왔다면 당신은 절대로 이런 것들을 갖지 못할 것이다. 당신의 생각은 사랑이 작용하는 방식과 어긋나기 때문이다. 이런 생각들은 끌어당김의 법칙을 거스르고 있다.

당신은 먼저 행복해야 하며, 행복을 '받기' 위해서는 행복을 '내보내야' 한다! 다른 방식으로는 결코 이루어지지 않는다. 당신이 삶에서 '받고' 싶은 것이 무엇이든 먼저 그것을 '내보내야' 한다! 당신은 감정을 마음대로 움직일 수 있으며 당신의 사랑을 마음대로 움직일 수 있다. 사랑의 힘은 당신이 내보낸 것을 그대로 당신에게 돌려준다.

파워의 핵심 포인트

- 어느 한순간 느끼는 감정은 다른 무엇보다도 중요하다. 지금 이 순간의 감정이 당신의 삶을 창조하기 때문이다.

- 당신이 느끼는 감정이 생각과 말의 파워다. 중요한 건 당신이 어떤 감정을 느끼는가이다!

- 모든 좋은 감정은 사랑에서 생긴다! 그리고 모든 부정적 감정은 사랑이 부족해서 생긴다.

- 모든 좋은 감정은 당신을 사랑의 힘과 연결시킨다. 사랑은 모든 좋은 감정의 근원이기 때문이다.

- 당신이 좋아하는 모든 것을 생각함으로써 좋은 감정을 증폭시키라. 당신이 좋아하는 것들을 차례차례 쉬지 않고 열거하라. 날아갈 듯한 기분이 들 때까지 당신이 좋아하는 모든 것을 계속 열거하라.

- 삶의 각 주제에 대해 느끼는 감정은 당신이 지금까지 각 주제에 대해 무엇을 내보냈는지 정확하게 보여 준다.

- 삶의 일들은 당신 앞에 그냥 일어나는 게 아니라 당신에게 반응한다. 삶의 모든 주제는 당신이 불러낸 것이다. 당신은 스스로 내보낸 것을 통해서 삶의 모든 것을 불러낸다.

- 당신이 느낄 수 있는 좋은 감정에는 무한한 차원이 있다. 이는 당신이 돌려받는 삶의 높이가 끝도 없이 높다는 의미다.

- 당신이 좋아하는 모든 것들이 당신을 원하고 있다! 돈이 당신을 원하고 있으며, 건강이 당신을 원하고 있으며, 행복이 당신을 원하고 있다.

- 삶의 환경을 바꾸려고 발버둥 치지 마라. 좋은 감정을 통해서 사랑을 내보내라. 그러면 원하는 것이 나타날 것이다!

- 좋은 감정을 먼저 내보내야 한다. 당신은 먼저 행복해야 하며, 행복을 받기 위해서는 행복을 내보내야 한다! 당신이 삶에서 받고 싶은 것이 무엇이든 먼저 그것을 내보내야 한다!

감정의 주파수

느낄 수 있다면 받을 수 있다

우주의 모든 것은 자석처럼 자기(磁氣)를 띠며 모든 것에는 자기 주파수가 있다. 당신의 감정과 생각도 자기 주파수를 갖고 있다. 좋은 감정은 당신이 사랑의 긍정적 주파수대에 있다는 것을 의미한다. 나쁜 감정은 당신이 부정적 주파수대에 있다는 것을 의미한다. 좋은 감정을 느끼든 나쁜 감정을 느끼든 당신이 느끼는 감정에 의해 주파수가 정해지고 당신은 자석처럼 같은 주파수대에 있는 사람과 사건, 상황을 끌어당긴다!

당신이 열광적인 감정을 느낀다면 열광의 주파수가 열광하는 사람과 상황, 사건을 끌어당길 것이다. 당신이 두려움을 느낀다면 두려움의 주파수가 두려운 사람과 상황, 사건을 당신에게로 끌어당길 것이다. 당신이 어떤 주파수대에 있는지 의심이 드는 일은 결코 없다. 당신이 어떤 감정을 느끼든 그것이 정확히 당신의 주파수대이기 때문이다! 당신은 감정을 바꿈으로써 언제든지 주파수를 바꿀 수 있으며 당신이 새로운 주파수대로 옮겨 가면 당신 주변의 모든 것이 바뀔 것이다.

　　당신은 삶에서 어떤 상황이든 맞을 수 있으며 이 상황에서 모든 결과가 일어날 수 있다. 당신이 그 상황에 대해 어떤 감정이든 느낄 수 있기 때문에 어떤 결과든 일어날 수 있다!

　　인간관계는 행복하고, 기쁘고, 신 나고, 만족스러운 모든 좋은 감정 주파수대에 있을 수 있다. 또한 지겹고, 실망스럽고, 걱정스럽고, 원망스럽고, 우울한 모든 나쁜 감정 주파수대에 있을 수도 있다. 이러한 인간관계에서 어떤 결과든 생길 수 있다! 또한 당신의 감정 상태에 따라 인간관계에서 무슨 일이 일어날지 정확하게 결정된다. 당신이 인간관계에 어떤 감정을 내보내든 당신은 인간관계에서 똑같은 것을 그대로 돌려받는다. 많은 시간 동안 인간관계에 기쁨을 느끼면 당신은 사랑을 내보내는 것이며, 그 인간관계를 통해 반드시 사랑과 기쁨을 돌려받을 것이다. 왜냐하면 당신이 같은 주파수대에 있기 때문이다.

"감정이 바뀌면 운명이 바뀐다."

네빌 고더드 (1905-1972)

신사상 운동 저자

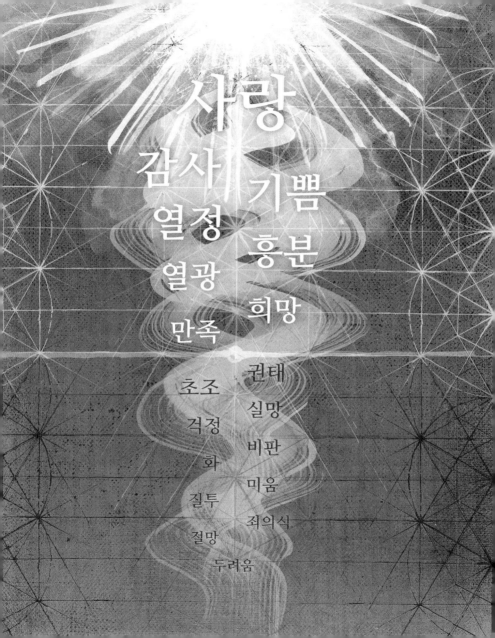

감정 주파수 목록을 보면 삶의 어떤 주제에서든 매우 다양한 감정 주파수가 있다는 것을 알 수 있다. 또한 당신이 각 주제에 대해 어떻게 느끼는지에 따라 그 주제의 결과가 정해진다!

당신은 돈에 대해 신 나거나, 행복하거나, 기쁘거나, 희망적이거나, 걱정스럽거나, 두렵거나, 우울한 감정을 느낄 수 있다. 또는 건강에 대해 황홀하거나, 정열적이거나, 더없이 기쁘거나, 낙담하거나, 불안한 감정을 느낄 수 있다. 이 감정들은 모두 감정 주파수가 다르며, 당신이 어떤 감정 주파수대에 있든 그대로 돌려받는다.

여행을 하고 싶지만 여행비용이 없어서 실망한다면 당신은 여행이라는 주제에 실망을 느끼는 것이다. 실망을 느낀다는 것은 당신이 실망 주파수대에 있다는 것을 의미하고, 감정 상태를 바꾸기 전까지 계속 여행하지 못하는 실망스런 상황을 돌려받을 것이다. 사랑의 힘은 당신이 여행할 수 있도록 모든 상황을 움직이지만 그 힘을 받기 위해서는 당신이 좋은 감정 주파수대에 있어야 한다.

상황에 대해 느끼는 감정 상태가 바뀌면 다른 감정을 내보내고 다른 감정 주파수대로 옮겨 가는데, 이때 상황은 당신의 새로운 주파수를 반영하여 '반드시' 바뀐다. 삶에 뭔가 부정적인 일이 일어났더라도 이를 바꿀 수 있다. 너무 늦은 경우는 결코 없다. 당신은 언제든지 감정 상태를 바꿀 수 있기 때문이다. 어떤 주제에 관한 것이든 당신이 좋아할 만한 것을 돌려받기 위해서, 그리고 당신이 좋아할 만한 것으로 바꾸기 위해서 당신은 '오로지' 감정 상태를 바꾸기만 하면 된다!

"우주의 비밀을 찾고 싶다면 에너지, 주파수, 진동의 관점에서 생각하라."

니콜라 테슬라 (1856-1943)
라디오와 교류 전기 장치 발명가

당신의 감정을 자동조종장치에서 분리시켜라

많은 사람들이 좋은 감정의 파워에 대해 알지 못하며, 그 결과 이들의 감정은 자신에게 벌어진 일에 대한 반작용 또는 반응 차원에 머문다. 이들은 감정을 의도적으로 불러일으키지 않고 그저 자동조종장치 위에 실어 놓는다. 좋은 일이 생길 때에는 좋은 감정을 느끼고 나쁜 일이 생길 때에는 나쁜 감정을 느낀다. 이들은 자신이 느끼는 감정이 지금 자신에게 벌어지는 일의 '원인'이라는 걸 깨닫지 못한다. 일어난 일에 대해 부정적 감정으로 반응하기 때문에 이들은 더욱 부정적인 감정을 '내보내고' 더욱 부정적인 상황을 '돌려받는다'. 이들은 스스로의 감정에 의해 순환에 빠진다. 이들의 삶은 바퀴를 굴리는 햄스터처럼 뱅뱅 돌기만 할 뿐 어디에도 닿지 못한다. 삶을 변화시키기 위해서 감정 주파수를 바꿔야 한다는 걸 깨닫지 못하기 때문이다!

> "중요한 건 당신에게 무슨 일이 일어났는지가 아니라 그 일에 당신이
> 어떻게 반응하느냐이다."
>
> 에픽테토스 (55-135)
> 그리스 철학자

당신에게 돈이 넉넉하지 않다면 자연히 돈에 대해 좋은 감정을 느끼지 못한다. 하지만 당신이 돈에 대해 좋은 감정을 느끼지 않는 한 당신이 살아가는 동안 돈 사정은 결코 달라지지 않는다. 돈에 대해 부정적인 감정을 내보낸다면 당신은 돈에 대해 부정적인 주파수대에 있게 되고 거액의 청구서가 날아오거나 물건이 고장 나는 등 당신에게서 돈이 빠져나가는 부정적인 상황만 돌려받을 것이다. 거액의 청구서에 부정적 감정으로 반응하면 돈에 대해 더욱 부정적인 감정을 내보내게 되고 이는 당신에게서 더 많은 돈이 빠져나가는 더욱 부정적인 상황을 불러들인다.

매 순간이 당신에게는 삶을 바꿀 수 있는 기회다. 어떤 순간에도 당신이 느끼는 감정 상태를 바꿀 수 있기 때문이다. 이전에 어떤 감정을 느꼈는지는 중요하지 않다. 혹시 실수를 저질렀을 거라고 생각되더라도 상관없다. 당신이 느끼는 감정 상태를 바꾸면 다른 주파수대로 옮겨 가고 끌

어당김의 법칙이 즉시 그에 반응한다! 당신이 느끼는 감정 상태를 바꾸면 과거는 지나가 버린다! 당신이 느끼는 감정 상태를 바꾸면 당신 삶이 바뀐다.

> "한순간도 후회 속에서 허비하지 마라. 과거의 잘못에 대해 후회스런 생각을 하는 것은 스스로에게 같은 잘못을 또다시 감염시키는 것이다."
>
> 네빌 고더드 (1905-1972)
> 신사상 운동 저자

사랑의 힘 앞에서는 어떤 변명도 통하지 않는다

삶이 당신이 좋아하는 모든 것으로 가득 차 있지 않다고 해서 당신이 착하고 사랑스런 사람이 아니라는 의미는 아니다. 각자의 삶의 목적은 사랑을 선택함으로써 부정성을 극복하는 데 있다. 문제는 대다수 사람들이 하루에도 수백 번 사랑하다가 이내 사랑을 멈춘다는 점이다. 이들은 사랑의 힘이 모든 좋은 것을 삶 속으로 가져올 수 있을 만큼 충분히 오랜 시간 동안 사랑을 주지 않는다. 한번 생각해 보라. 당신은 사랑하는 사람과 따뜻한 포옹을 나눔으로써 한순간 사랑을 준다. 하지만 그런 다음 몇 분 지나지 않아 열쇠가 보이지 않거나 교통 체증으로 시간을 빼앗

기거나 주차할 곳이 없다는 이유로 짜증을 내면서 더 이상 사랑을 주지 않는다. 동료와 웃을 때에는 사랑을 주지만 식당에서 당신이 원하는 음식이 떨어졌다는 이유로 실망하면서 더 이상 사랑을 주지 않는다. 주말을 기다릴 때에는 사랑을 주다가 청구서가 날아오면 더 이상 사랑을 주지 않는다. 하루가 그런 식으로 흘러간다. 시시때때로 사랑을 주다가 그만두고, 사랑을 주다가 그만두고, 사랑을 주다가 그만둔다.

사랑을 주면서 사랑의 힘을 이용하거나 그렇지 않거나 둘 중 하나다. 왜 사랑하지 않는지 변명을 대면서 사랑의 힘을 이용할 수는 없다. 왜 사랑하지 않았는지 변명하고 정당화하는 것은 당신 삶에 그저 더 많은 부정성을 보탤 뿐이다. 왜 사랑하지 않았는지 변명하는 동안 똑같은 부정성을 다시 느끼며 그리하여 더 많은 부정성을 내보낸다!

"화에 집착하며 매달리는 것은 다른 누군가에게 뜨거운 석탄을 던지겠다는 심산으로 자기 손에 그것을 꼭 쥐고 있는 것과 같다. 결국 화상을 입는 사람은 당신이다."

고타마 붓다 (기원전 563–483)
불교 창시자

약속에 혼선이 생겼다는 이유로 짜증을 내면서 그런 혼선을 빚은 다른 사람을 비난한다면 당신은 사랑을 주지 않는 변명으로 비난을 이용하고 있는 셈이다. 그러나 끌어당김의 법칙은 오로지 '당신이' 주는 것만 받는다. 따라서 당신이 비난을 주면 비난하는 상황을 돌려받는다. 그렇다고 반드시 당신이 비난한 사람으로부터 비난을 돌려받는 건 아니지만 분명히 비난하는 상황을 맞는다. 사랑의 힘 앞에서는 어떤 변명도 통하지 않는다. 당신이 준 대로 돌려받는다. 오직 그것뿐이다.

사소한 것들까지 모두 관련된다

비난, 비판, 트집, 불평은 모두 부정성을 나타내는 형태다. 이러한 것들은 모두 아주 많은 충돌을 가져온다. 작은 불평을 하거나 뭔가를 비판할 때마다 당신은 부정성을 내보낸다. 날씨, 교통, 정부, 배우자, 자식, 부모, 길게 늘어선 줄, 경제, 음식, 신체, 일, 고객, 사업, 가격, 소음, 서비스에 대한 불평은 얼핏 아무 해가 없는 사소한 것으로 보이지만 아주 많은 부정성을 불러들인다.

당신이 쓰는 어휘 중에서 '겁난다', '무섭다', '혐오스럽다', '끔찍하다' 같은 단어를 모두 내다 버려라. 그런 단어를 입 밖에 내면 강한 감정이 따라온다. 그런 단어를 말하면 반드시 당신에게 다시 돌아오는데, 이는 곧 당신 삶에 그런 딱지를 붙이는 결과가 된다! '환상적이다', '경이롭다', '믿기지 않을 만큼 좋다', '훌륭하다', '멋지다' 같은 단어를 더 많이 쓰는 게 좋겠다는 생각이 들지 않는가?

당신이 좋아하고 원하는 것은 뭐든 가질 수 있지만 반드시 사랑과 화음을 이루어야 한다. 이 말은 곧 사랑을 주지 않은 어떤 변명도 있을 수 없다는 의미다. 변명과 정당화는 당신이 원하는 것을 받지 못하도록 방해한다. 당신이 놀라운 삶을 누리지 못하도록 방해한다.

"다른 사람의 삶에 뭔가를 보내면 이는 모두 우리 자신의 삶으로 되돌아온다."

에드윈 마크햄 (1852-1940)
시인

상점 점원에게 불평을 하고 나서 몇 시간이 지난 뒤 이웃사람으로부터 당신네 집 개가 짖는다고 불평하는 전화를 받을 때 당신은 이 두 가지 일을 연결시키지 않는다. 점심에 친구를 만나 둘 다 아는 어느 친구에 대해 부정적인 이야기를 하고 난 뒤 회사에 돌아와 중요 고객한테 커다란 문제가 생겼다는 사실을 발견할 때 당신은 이 두 가지 일을 연결시키지 않는다. 저녁식사 자리에서 신문에 실린 부정적인 일에 대해 대화를 나누고 나서 그날 밤 위장이 뒤틀려 잠을 이루지 못했을 때 당신은 이 두 가지 일을 연결시키지 않는다.

당신이 가던 길을 멈추고 길에 뭔가를 떨어뜨린 사람을 도와주고 나서 10분쯤 지난 뒤 슈퍼마켓 문 바로 앞에 빈 주차공간을 발견했을 때 당신은 이 두 가지 일을 연결시키지 않는다. 행복한 마음으로 아이의 숙제를 도와주고 나서 다음 날 세금 환급액이 생각보다 훨씬 많다는 소식을 접했을 때 당신은 이 두 가지 일을 연결시키지 않는다. 친구의 부탁을 들어주고 나서 그 주에 상사가 스포츠 경기 초대권 두 장을 당신에게 주었을 때 당신은 이 두 가지 일을 연결시키지 않는다. 삶의 매 순간, 매 상황에서 당신 스스로 연결시키든 그렇지 않든 간에 당신은 준 대로 받는다.

"외부에서 오는 것은 아무것도 없다. 모든 것은 내부에서 생긴다."

네빌 고더드 (1905-1972)
신사상 운동 저자

티핑 포인트

부정적인 생각과 감정 대신 긍정적인 생각과 감정을 50퍼센트 이상 내보내면 티핑 포인트에 도달한다. 설령 좋은 생각과 좋은 감정을 51퍼센트만 내보내더라도 당신 삶의 저울은 한쪽으로 기울어진다! 그 이유는 다음과 같다.

당신이 사랑을 주면 이 사랑은 당신이 좋아하는 긍정적 상황으로 당신에게 돌아올 뿐만 아니라 그 과정에서 훨씬 '더 많은' 사랑과 긍정성을 당신 삶에 더한다! 이 새로운 긍정성은 다시 더 많은 긍정성을 끌어당기고 훨씬 '더 많은' 사랑과 긍정성을 당신 삶에 더하며, 이런 과정이 계속된다. 모든 것에는 자석 같은 힘이 있으며 좋은 것이 당신에게 올 때 자석처럼 좋은 것을 더 많이 끌어당긴다.

"행운의 연속이 이어졌다."거나 "승세를 타고 있다."라고 말했을 때, 또는 좋은 일이 연달아 일어났거나 좋은 일만 계속될 때 비슷한 경험을 해보았을 것이다. 이런 상황이 찾아오는 유일한 이유는 당신이 부정성보다 사랑을 더 많이 내보냈기 때문이며, 사랑이 당신에게 돌아올 때 더 많은 사랑을 당신 삶에 더하고 그것이 다시 좋은 것을 훨씬 더 많이 끌어당겼기 때문이다.

또한 뭔가 잘못된 일이 벌어지고 나서 연이어 다른 일들이 잘못되기 시작했을 때 반대 상황이 벌어지는 경험도 해 보았을 것이다. 이런 상황이 벌어지는 이유는 당신이 사랑보다 부정성을 더 많이 내보내고, 그 부정성이 당신에게 돌아오는 과정에서 더 많은 부정성을 당신 삶에 더했으며 그것이 또다시 부정적인 것을 훨씬 더 많이 끌어당겼기 때문이다. 이를 가리켜 "불운의 연속."이라고 말할지 모르겠지만 이는 운과 아무 상관이 없다. 당신 삶에서 끌어당김의 법칙이 정확하게 작용한 결과이며 좋은 시기든 나쁜 시기든 이 시기는 단지 당신이 내보냈던 부정성 또는 당신이 주었던 사랑의 비율을 나타낸다. "행운의 연속."이나 "불운의 연속."이 바뀌는 한 가지 이유는 어떤 시점에서 당신이 느끼는 감정에 의해 저울이 반대쪽으로 기울었기 때문이다.

"이와 같이 하여 당신은 행운의 삶을 영위하고 모든 나쁜 것으로부터 영원히 보호받을 수 있다. 이와 같이 하여 당신은 긍정적인 힘이 되고 그로써 풍요롭고 조화로운 상황이 당신에게로 끌려올 것이다."

찰스 해낼 (1866-1949)
신사상 운동 저자

　삶을 바꾸기 위해서는 단지 좋은 생각과 좋은 감정을 통해 51퍼센트의 사랑을 줌으로써 저울이 한쪽으로 기울어지게만 하면 된다. 부정성보다 사랑을 더 많이 주어서 티핑 포인트에 도달하기만 하면 당신에게 돌아오는 사랑이 끌어당김의 법칙으로 더 많은 사랑을 끌어당김으로써 점점 더 커진다. 당신은 문득 좋은 일이 점점 더 빨리, 점점 더 많이 늘어나는 것을 경험한다! 부정적인 것이 더 많이 당신에게 돌아오고 점점 더 커지는 게 아니라 이제는 좋은 것이 당신에게 돌아오고 삶의 모든 영역에서 좋은 것이 점점 더 커진다. 당신의 삶은 원래 이런 삶이어야 했다.

매일 아침 눈을 뜰 때 당신은 그날의 티핑 포인트에 서 있다. 당신은 한쪽 길로 접어들어 좋은 일들이 가득한 멋진 하루를 맞을 수도 있고 다른 쪽 길로 접어들어 온갖 문제들이 가득한 하루를 맞을 수도 있다. 그날이 어떤 모습이 될지 정하는 사람은 당신이다. 당신이 느끼는 감정 상태가 이를 결정한다! 당신이 무엇을 느끼든 당신이 내보내는 것은 바로 이 감정이며 당신이 어디를 가든 그날 돌려받는 것도 이 감정이다.

하루를 시작하면서 행복하다고 느끼고 그날 내내 행복하다면 당신의 하루는 멋질 것이다! 그러나 하루를 기분 나쁘게 시작하고 이 기분을 바꾸기 위해 아무것도 하지 않으면 당신의 하루는 전혀 멋지지 않을 것이다.

좋은 감정을 느끼는 하루는 그날을 바꿀 뿐만 아니라 나아가 내일도 바꾸고 삶도 바꾼다! 좋은 감정을 유지하다가 기분 좋은 채로 잠자리에 들면 좋은 감정의 여세를 몰아 다음 날을 시작한다. 좋은 감정 상태를 최대한 유지하는 동안 끌어당김의 법칙에 의해 좋은 감정이 계속 늘어나고 그렇게 하루하루 지속되며, 당신의 삶이 나날이 좋아진다.

"오늘을 살라. 어제를 살지도 말고, 내일을 살지도 마라. 단지 오늘을 살라. 당신에게 주어진 순간들 속에 살라. 이 순간들을 내일에 내주지 마라."

제리 스피넬리 (1941년 생)
아동문학 작가

오늘을 위해 살지 않는 사람들이 너무도 많다. 이들은 철저하게 미래에 사로잡혀 있다. 하지만 '오늘' 어떻게 사느냐에 따라 미래가 창조된다. 중요한 것은 '오늘' 어떤 감정을 느끼는가이다. '오로지' 오늘 어떤 감정을 느끼는지에 따라 미래가 결정되기 때문이다. 하루하루는 새로운 삶을 열기 위한 기회다. 매일 당신은 삶의 티핑 포인트에 서 있다. 또한 언제든 당신이 느끼는 감정 상태를 바꿈으로써 미래를 바꿀 수도 있다. 저울을 좋은 감정 쪽으로 기울이면 믿기 힘들 만큼 빠른 속도로 사랑의 힘이 당신 삶을 바꿀 것이다.

파워의 핵심 포인트

- 우주의 모든 것은 자석처럼 자기(磁氣)를 띠며, 당신의 생각과 감정을 비롯한 모든 것에는 자기 주파수가 있다.

- 좋은 감정을 느끼든 나쁜 감정을 느끼든 당신이 느끼는 감정에 의해 주파수가 정해지고 당신은 같은 주파수에 있는 사람과 사건, 상황을 끌어당긴다.

- 당신의 감정을 바꿈으로써 언제든지 주파수를 바꾸라. 그러면 당신이 새로운 주파수대로 옮겨 갔기 때문에 당신 주변의 모든 것이 바뀔 것이다.

- 삶에서 부정적인 일이 일어났더라도 당신은 그것을 바꿀 수 있다. 너무 늦은 경우는 결코 없다. 왜냐하면 당신은 언제든지 감정 상태를 바꿀 수 있기 때문이다.

- 많은 사람들이 자신의 감정을 그저 자동조종장치 위에 실어 놓는다. 그러므로 이들의 감정은 자신에게 벌어진 일에 대한 반응 차원에 머문다. 그러나 이들은 자신에게 일어난 일의 원인이 바로 자신의 감정에 있다는 사실을 깨닫지 못한다.

- 돈, 건강, 인간관계에 관련된 상황이든, 그 어떤 주제에 관련된 상황이든 이 상황을 바꾸기 위해서는 당신이 느끼는 감정 상태를 바꿔야 한다!

- 비난, 비판, 트집, 불평은 모두 부정성을 나타내는 형태다. 이러한 것들은 모두 충돌밖에 가져오지 않는다.

- 당신이 쓰는 어휘 중에서 겁난다, 무섭다, 혐오스럽다, 끔찍하다 같은 단어를 모두 내다 버려라. 환상적이다, 경이롭다, 믿기지 않을 만큼 좋다, 훌륭하다, 멋지다 같은 단어를 더 많이 써라.

- 설령 좋은 생각과 좋은 감정을 51퍼센트만 내보내더라도 당신 삶의 저울은 한쪽으로 기울어진다!

- 하루하루는 새로운 삶을 열기 위한 기회다. 매일 당신은 삶의 티핑 포인트에 서 있다. 또한 언제든 당신이 느끼는 감정 상태를 바꿈으로써 미래를 바꿀 수도 있다.

파워와 창조

"당신 삶의 모든 순간은 한없이 창조적이며 우주는 한없이 풍부하다. 그저 명확한 요청을 꺼내 놓아라. 당신 마음이 바라는 모든 것이 반드시 당신에게 온다."

샥티 거웨인 (1948년 생)
작가

앞으로 이어질 여러 장에 걸쳐 당신은 돈, 건강, 일, 사업, 인간관계를 얻기 위해 사랑의 힘을 이용하는 것이 얼마나 쉬운지 알게 될 것이다. 이 깨달음을 통해 삶을 당신이 원하는 어떤 형태로든 바꿀 수 있다.

특정하게 바라는 것을 당신에게 불러들이기 위해서는 창조 과정의 간단한 몇 단계를 따라야 한다. 당신이 원하는 것을 가져오든 아니면 당신이 원하지 않는 것을 바꾸든 과정은 언제나 똑같다.

창조 과정

상상하라. 느껴라. 받아라.

1. 상상하라

당신이 바라는 것에 마음을 집중하고 상상하라. 당신의 소망대로 '되어 있는' 당신 모습을 상상하라. 당신의 소망대로 '뭔가를 하는' 당신 모습을 상상하라. 당신이 소망하던 것을 '가진' 당신 모습을 상상하라.

2. 느껴라

당신의 모습을 상상하면서 동시에 그 상상 속 모습에 사랑을 '느껴라'. 당신의 소망대로 되어 있는 모습을 상상하고 '느껴야' 한다. 당신의 소망대로 뭔가를 하는 모습을 상상하고 '느껴야' 한다. 당신이 소망하던 것을 가진 모습을 상상하고 '느껴야' 한다.

상상은 당신이 원하는 것과 당신을 연결시킨다. 당신의 소망과 사랑의 느낌은 자기, 즉 자석처럼 끌어당기는 힘을 창조하고 당신의 소망을 당신에게로 끌어온다. 창조 과정에서 당신이 맡은 부분은 마무리된다.

3. 받아라

사랑의 힘은 자연의 보이는 힘과 보이지 않는 힘을 통해 작용하여, 당신이 바라는 것을 당신에게로 불러들일 것이다. 사랑의 힘은 상황, 사건, 사람을 이용하여 당신이 사랑하는 것을 당신에게 줄 것이다.

당신이 바라는 것이 무엇이든 온 마음을 다해 원해야 한다. 소망은 '곧' 사랑이며 당신 마음속에 뜨거운 소망이 없다면 당신은 사랑의 힘을 이용할 파워를 충분히 갖지 못할 것이다. 운동선수가 경기에서 뛰기를 바라듯, 무용수가 춤추기를 바라듯, 화가가 그림 그리기를 바라듯 원하는 것을 진심으로 바라야 한다. 당신은 원하는 것을 온 마음으로 바라야 한다. 소망은 사랑의 느낌이며 당신은 사랑하는 것을 받기 위해 사랑을 주어야 한다!

당신이 삶에서 무엇이 되기를 원하든, 당신이 삶에서 무엇을 하기를 원하든, 당신이 삶에서 무엇을 갖기를 원하든 창조 과정은 똑같다. 사랑을 받으려면 사랑을 주라. 상상하라. 느껴라. 받아라.

창조 과정을 이용할 때에는 당신이 원하는 것이 이미 이루어졌다고 상상하고 느끼면서 그 상태를 계속 유지하라. 왜 그래야 하는 걸까? 끌어당김의 법칙은 당신이 무엇을 주든 그대로 따라 하기 때문이다. 그러므로 지금 누리는 모습을 상상하고 느껴야 한다!

몸무게를 줄이고 싶다면 매일 뚱뚱한 모습을 상상하고 느끼는 대신 마음에 드는 몸매를 가진 당신 모습을 상상하고 느낌으로써 사랑을 주라. 여행을 하고 싶다면 여행비용을 갖지 못한 모습을 매일 상상하지 말고, 여행하는 모습을 상상하고 느낌으로써 사랑을 주라. 운동, 연기, 노래, 악기 연주, 취미, 일 등에서 향상된 모습을 보이고 싶다면 당신이 사랑하고픈 모습을 상상하고 느낌으로써 당신이 되고 싶은 모습에 사랑을 주라. 멋진 결혼을 하고 싶거나 누군가와 멋진 인간관계를 맺고 싶다면 그러한 관계를 갖는 게 어떤 모습일지 상상하고 느낌으로써 사랑을 주라.

> "믿음은 아직 당신 눈에 보이지 않는 것을 믿는 것이다. 그리고 이 믿음에 대한 보상은 당신이 믿은 대로 보게 되는 것이다."
>
> 히포의 성 아우구스티누스 (354-430)
> 신학자이자 주교

창조 과정을 운용하기 시작할 때 당신은 시작부터 뭔가 흔치 않은 것을 끌어당기고 싶을지도 모른다. 뭔가 흔치 않은 것을 구체적으로 정해서 끌어당기면 그것을 받을 때 당신이 지닌 파워에 대해 어떤 의혹도 남지 않을 것이다.

한 젊은 여자는 특정 꽃, 즉 흰 칼라 릴리를 끌어당기는 것부터 시작했다. 그녀는 손에 칼라 릴리를 들고 향기 맡는 모습을 상상했으며 곁에 칼라 릴리가 있다고 느꼈다. 2주일 뒤 그녀는 친구 집에 저녁식사를 하러 갔는데 그 집 식탁 가운데 흰 칼라 릴리 다발이 꽂혀 있었다. 그녀가 전에 상상했던 바로 그 꽃이었고 색깔도 같았다. 여자는 칼라 릴리를 보고 흥분했지만 자신이 상상한 꽃에 대해 친구에게 아무 말도 하지 않았다. 밤이 어두워져 친구 집 문을 나설 때 친구의 딸이 시키지도 않았는데 꽃병에서 흰 칼라 릴리 한 송이를 꺼내 그녀의 손에 쥐여 주었다!

"상상은 창조의 시작이다.

당신은 바라는 것을 상상하고, 상상한 것을 결심하며, 결심한 것을 마침내 창조한다."

조지 버나드 쇼 (1856-1950)
노벨상 수상 극작가

주고 – 받아라

끌어당김의 법칙에서는 당신이 무엇을 주든 그것을 그대로 받는다는 걸 명심하라. 끌어당김의 법칙이 거울이나 메아리, 부메랑, 복사기 같은 거라고 여긴다면 당신이 무엇을 상상하고 느낄지 좀 더 뚜렷하게 정하는 데 도움이 된다. 끌어당김의 법칙은 거울과 같다. 거울은 그 앞에 있는 것을 정확하게 그대로 비추기 때문이다. 끌어당김의 법칙은 메아리와 같다. 당신이 무슨 소리를 내보내든 똑같이 메아리가 되어 돌아오기 때문이다. 끌어당김의 법칙은 부메랑과 같다. 당신이 어떤 부메랑을 던지든 똑같은 부메랑이 당신에게 돌아오기 때문이다. 끌어당김의 법칙은 복사기와 같다. 당신이 기계에 무엇을 넣든 똑같이 재생산되고 똑같은 복사본이 나오기 때문이다.

몇 년 전 나는 일 때문에 파리에 갔다. 길을 걷고 있는데 한 여자가 아름다운 치마를 입고 급히 내 옆을 지나갔다. 파리 풍의 복잡한 장식이 들어간 치마로, 내가 그때까지 본 가장 아름다운 치마 중 하나였다. 나는 사랑의 반응을 나타냈다. "정말 아름다운 치마다!"

몇 주일 뒤 나는 호주 멜버른에서 출근하기 위해 운전을 하고 있었는데 한 운전자가 불법 유턴을 시도하는 바람에 어쩔 수 없이 차를 멈추고 서 있었다. 내가 서 있던 자리에서 상점 진열대를 보는 순간 파리 거리에서 여자가 입고 있던 것과 똑같은 치마가 보였다. 내 눈을 믿을 수 없었다. 직장에 도착한 나는 상점에 전화를 걸었다. 상점 직원은 그런 스타일의 치마를 유럽에서 딱 한 벌 받았으며 진열대에 걸려 있다고 말했다. 물론 그 치마는 내게 딱 맞는 사이즈였다. 내가 치마를 구입하기 위해 상점에 갔을 때 치마의 가격은 반액 할인되어 있었다. 상점 직원의 말에 따르면 그들은 이 치마를 주문한 적이 없으며 그저 우연히 다른 주문 물건 속에 섞여 왔다고 했다!

치마가 내게 오기까지 내가 한 일이라고는 그저 치마를 사랑한 것뿐이며, 바로 그 치마가 파리에서 호주의 교외 거리까지 여러 상황과 사건을 거쳐 내게 배달된 것이다. 사랑의 자석 같은 파워란 그런 것이다! 사랑이 지닌 끌어당김의 법칙은 바로 그와 같이 작용한다.

상상

"이 세상은 우리의 상상을 펼치는 캔버스일 뿐이다."

헨리 데이비드 소로 (1817~1862)
초월주의 작가

당신이 원하고 좋아하는 긍정적인 뭔가를 상상할 때 당신은 사랑의 힘을 이용한다. 당신이 긍정적인 것을 상상하고 그것에 대한 사랑을 느낄 때 당신이 주는 것은 사랑이며 당신이 받는 것도 사랑이다. 상상하고 느낄 수 있으면 받을 수 있다. 하지만 당신이 상상하는 것은 반드시 사랑으로부터 나온 것이어야 한다!

무엇을 상상하든 그것이 결코 다른 사람에게 해가 되어서는 안 된다. 다른 사람에게 해를 입히는 것을 상상한다면 이는 사랑으로부터 나온 게 아니라 사랑의 부족에서 나온 것이다. 그리고 비록 상상 속의 일이라고 해도 부정성은 그것을 보낸 사람에게 똑같은 잔인성을 띠고 돌아온다! 당신이 무엇을 주든 '당신이' 돌려받는다.

그러나 나는 사랑의 힘과 당신의 상상에 대해 아주 멋진 이야기를 들려주고자 한다. 당신이 이루어질 수 있을 거라고 생각하는 가장 좋은 것이나 최고의 것도 사랑의 힘이 당신에게 줄 수 있는 것에 비하면 아무것도 아니다. 사랑에는 한계가 없다! 당신이 삶을 향한 놀라운 열정을 지니고 활력과 행복이 가득한 삶을 살고 싶다면 사랑의 힘은 당신이 이제껏 보았던 것보다 훨씬 높은 수준의 건강과 행복을 당신에게 줄 수 있다. 내가 이 이야기를 당신에게 하는 것은 상상의 경계를 부수고 삶에 더 이상 한계를 두지 않도록 하기 위해서다. 당신의 상상을 한계까지 밀어붙이고 당신이 원하는 것이 무엇이든 당신이 원할 수 있는 가장 좋은 것과 최고의 것을 상상하라.

멋진 삶을 사는 사람과 고단한 삶을 사는 사람의 차이는 결국 한 가지다. 바로 사랑이다. 위대한 삶을 사는 사람들은 그들이 사랑하고 원하는 것을 상상하며 그들이 상상하는 것에 대한 사랑을 다른 사람보다 훨씬 많이 '느낀다'! 고단한 삶을 사는 사람들은 그들이 사랑하지 않는 것, 원하지 않는 것에 자기도 모르게 상상을 이용하며 그들이 상상하는 것의 부정성을 '느끼고' 있다. 이는 단순한 것이지만 삶에 엄청난 차이를 만들어 내며, 당신의 눈길이 향하는 모든 곳에서 이 차이를 볼 수 있다.

> "장인 정신의 비밀은 전적으로 상상을 이용하는 데 있다."
>
> 크리스천 D. 라르손 (1874-1962)
> 신사상 운동 저자

역사는 감히 불가능한 것을 상상한 사람이야말로 인간의 모든 한계를 깨뜨린 사람이라고 입증해 주었다. 과학, 의학, 스포츠, 예술, 테크놀로지 등 인간이 노력한 모든 분야에서 불가능한 것을 상상했던 사람들의 이름이 역사에 새겨져 있다. 그들은 상상의 한계를 깨뜨림으로써 세상을 변화시켰다.

　당신의 삶 전체는 당신이 그럴 거라고 상상해 왔던 모습 그대로다. 당신이 가진 모든 것, 당신이 갖지 못한 모든 것, 당신 삶의 모든 상황과 환경은 당신이 그럴 거라고 상상해 온 그대로다. 문제는 많은 사람이 가장 나쁜 것을 상상한다는 데 있다! 사람들은 가장 멋진 도구를 자기에게 나쁜 방향으로 쓰고 있다. 가장 좋은 것을 상상하는 대신 두려움에 빠져 혹시 잘못될지도 모르는 모든 일을 상상한다. 사람들이 계속해서 그러한 일을 상상하고 느끼는 한 그 일은 그만큼 확실하게 일어난다. 당신이 무엇을 주든 그대로 받는다. 삶의 모든 영역에서 당신이 상상하고 느낄 수 있는 가장 좋은 것과 최고의 것을 상상하고 느껴라. 당신이 상상할 수 있는 가장 좋은 것도 사랑의 힘 앞에서는 "아주 쉬운 일."이기 때문이다!

우리 가족이 미국으로 이사 왔을 때 열다섯 살 된 우리 집 개 캐비도 우리와 함께 살기 위해 비행기를 타고 왔다. 캐비는 도착한 지 그리 오래되지 않은 어느 날 울타리의 작은 틈 사이로 빠져나가 집을 나갔다. 우리 집 뒤쪽은 산이었기 때문에 개를 찾는 일이 결코 쉽지 않은 상황이었다. 우리는 산으로 이어지는 큰길과 오솔길을 밤늦도록 수색했지만 개는 어디에도 보이지 않았다.

개를 찾는 동안 내 딸과 나는 고통스런 부정적 감정을 점차 강하게 느끼기 시작했다. 나는 곧바로 수색을 멈추고 우리 마음속의 감정 상태를 바꿔야 한다고 생각했다. 부정적 감정을 느끼는 우리 모습을 통해 우리가 가장 나쁜 일을 상상하고 있다는 것을 알 수 있었다. 빨리 감정 상태를 바꾸고 가장 좋은 것을 상상해야 했다. 그 시점에서는 모든 가능성이 있었다. 우리는 캐비가 집에 있다고 상상하고 느낌으로써 캐비가 안전하게 집으로 돌아오는 가능성을 선택해야 했다.

우리는 집으로 돌아와 개가 우리 곁에 있는 척했다. 개가 있는 것처럼 캐비 밥그릇에 먹을 것을 담아 놓았다. 캐비가 복도를 돌아다닐 때 목에서 달랑달랑 울리던 종소리가 들린다고 상상했다. 캐비가 곁에 있는 것처럼 말을 걸고 이름을 불렀다. 내 딸은 잠자리에 들면서, 15년 동안 함께 지낸 가장 친한 친구가 예전처럼 침대 옆에 누워 자고 있다고 상상했다.

다음 날 아침 일찍 우리는 누군가 작은 개를 찾았다고 적어 놓은 쪽지를 산 밑에 있는 나무에서 발견했다. 캐비였다. 상상했던 대로 개는 안전하게 우리 곁으로 돌아왔다.

아무리 어려운 상황에 처할지라도 가장 좋은 가능성을 상상하고 느껴라! 그렇게 할 때 주변 환경이 바뀔 것이며 당신이 원하는 방향으로 상황이 바뀔 것이다!

상상할 수 있는 것은 뭐든 존재한다

"창조는 이미 존재하는 것을 형태 속에 투영시켜 구체화하는 것일 뿐이다."

스리마드 바가바탐 (9세기)
고대 힌두 신화

당신이 어떤 소망을 상상하든 그것은 이미 존재한다! 그게 무엇인지는 중요하지 않다. 당신이 상상할 수 있다면 그것은 이미 창조되어 존재한다.

5,000년 전 고대 경전에 기록된 바에 따르면 모든 창조가 이루어졌고 완성되었으며 창조될 가능성이 있는 것은 뭐든 이미 존재한다. 5,000년이 지난 지금 양자물리학에서는 모든 것의 모든 가능성 하나하나가 실제로 '지금' 존재한다는 사실을 확인해 주었다.

"천지와 만물이 다 이루어지니라."

「창세기」 2장 1절

이 말이 당신과 당신 삶에서 의미하는 것은 당신이 자신을 위해 무엇을 상상하든 이것이 이미 존재한다는 사실이다. 존재하지 않는 뭔가를 상상한다는 건 불가능하다. 창조는 완성되었다. 모든 가능성 하나하나가 존재한다. 따라서 당신이 세계기록을 깨는 상상을 하거나, 극동 지방을 여행하는 상상을 하거나, 건강한 활력이 가득한 삶을 상상하거나, 부모가 되는 상상을 할 때 그 가능성은 바로 지금 창조되어 존재한다! 그런 것들이 이미 존재하지 않았다면 당신은 그런 것들을 상상할 수 없었을 것이다! 보이지 않는 삶에서 보이는 삶 속으로 당신이 바라고 사랑하는 것을 불러들이기 위해서는 그냥 상상과 감정을 통해서 당신이 원하는 것에 사랑을 주기만 하면 된다.

당신이 원하는 모습대로 삶을 상상하라. 당신이 원하는 모든 것을 상상하라. 매일매일 당신의 상상을 당신 곁에 붙들어 두라. '만일' 인간관계가 더할 나위 없이 좋다면 어떻게 될지 '상상하라'. '만일' 일이 갑자기 잘 풀린다면 어떤 기분일지 '상상하라'. '만일' 좋아하는 일을 하는 데 필요한 돈이 있다면 당신 삶이 어떻게 될지 '상상하라'. '만일' 당신에게 건강한 활력이 흘러넘친다면 어떤 기분일지 '상상하라'. '만일' 당신이 하고 싶었던 일을 할 수 있다면 어떤 기분일지 '상상하라'. 모든 감각을 이용하여 당신이 원하는 것을 상상하라. 이탈리아 여행을 하고 싶다면 올리브오일의 냄새를 상상하고, 파스타를 맛보고, 귀에 들리는 이탈리아어를 듣고, 콜로세움의 돌을 만지는 촉감을 느끼고, 이탈리아에 있는 기분을 '느껴라'!

대화할 때나 혼자 생각할 때 "만일 ……하면 어떨지 상상하라."에서 나머지 빈 곳에 당신이 원하는 것을 채워 넣고 말하라! 친구와 이야기할 때 그들이 불평을 늘어놓으면서 동료들은 승진했는데 자신들은 하지 못했다고 말한다면 이런 말로 도움을 주어라. "네가 이번에 승진을 하지 못한 건 앞으로 돈을 더 많이 버는 더 높은 자리로 승진하려고 그런 거라고 상상해!" 사실 당신 친구가 돈을 더 많이 버는 더 높은 자리로 승진

할 가능성이 이미 존재하고 있으며, 그들이 이를 상상하고 느낄 수 있다면 이를 받을 수 있기 때문이다!

"원자 또는 소립자 자체가 실재하는 것은 아니다. 이것들은 하나의 사물이나 사실이라기보다는 잠재성 또는 가능성의 세계를 이룬다."

베르너 하이젠베르크 (1901-1976)
노벨상 수상 양자물리학자

상상력을 이용하여 당신이 정말 기분 좋은 감정을 느끼도록 방법을 찾아라. 당신이 상상할 수 있는 것이 뭐든 그것은 보이지 않는 세계 속에 완전하게 창조된 채로 당신을 기다리고 있다. 이것이 눈에 보이도록 만드는 길은 당신이 좋아하는 것을 상상하고 느낌으로써 사랑의 힘을 이용하는 것이다.

한 젊은 여자가 대학을 졸업한 뒤 여러 달에 걸쳐 일자리를 찾기 위해 온갖 노력을 했다. 그녀를 가로막는 가장 커다란 장애는 일자리를 갖지 못한 상태에서 일자리를 얻는 상상을 하는 데 있었다. 그녀는 매일 일기에 앞으로 생길 일자리에 대해 고마워하는 마음을 적었지만 일자리는 여전히 생기지 않았다. 그러다 문득 그녀는 깨달았다. 마구잡이로 이 일자리 저 일자리에 지원하는 행동은 그녀에게 일자리가 없다는 사실을 끌어당김의 법칙에 큰 소리로 확실하게 말하는 것과 같았다.

그래서 이 젊은 여자는 다음과 같이 행동하여 모든 것을 바꾸었다. 그녀는 상상을 이용하여 자신이 이미 직장을 구한 것처럼 살기로 했다. 직장에 출근하는 것처럼 아침 일찍 알람시계를 맞춰 놓았다. 앞으로 생길 일자리에 감사하는 내용을 일기에 쓰는 대신 직장에서 잘한 일과 함께 일하는 동료들에게 고마워하는 마음을 적었다. 매일 출근길에 무슨 옷을 입을지 계획했다. 월급을 입금시킬 저축통장도 만들었다. 2주일 정도 되자 그녀는 정말로 일자리가 생긴 것 같은 느낌이 들었다. 그러다가 어느 날 불쑥 친구가 그녀에게 일자리 하나를 알려 주었다. 그녀는 면접을 보러 갔고 일자리를 얻었으며 일기에 썼던 그대로 모두 돌려받았다.

소도구를 이용하라

"사람, 사물, 조건, 상황이 무엇을 가져다줄까 하는 생각을 허용한다면 당신은 생각하고 싶은 것을 추구하는 게 아니다. 당신은 자기 자신의 소망을 추구하는 게 아니라 빌려 온 소망을 추구하는 것이다. 무엇을 생각하고 싶은지, 무엇을 하고 싶은지 정할 때 상상력을 이용하라."

크리스천 D. 라르손 (1874-1962)
신사상 운동 저자

창조 과정을 이용할 때에는 당신이 원하는 것을 이미 가졌다는 느낌을 자아낼 수 있도록 모든 소도구를 써라. 당신이 원하던 것을 가졌을 때 어떤 느낌일지 상상하고 느낄 수 있도록 옷, 그림, 사진, 관련 물품들을 당신 주변에 두라.

새 옷을 원한다면 옷장 안에 반드시 빈 공간이 있어야 하며 새 옷을 걸 빈 옷걸이가 걸려 있어야 한다. 더 많은 돈이 들어오기를 바란다면 지갑에 돈을 넣을 공간이 있는가? 상관없는 종이쪽지들이 지갑을 가득 채우고 있지 않은가? 완벽한 배우자를 원한다면 그 사람이 지금 당신과 함께 있는 것을 상상하고 느껴야 한다. 침대 한복판에서 자는가, 아니면 배우자가 사용할 침대 한편을 비워 두고 다른 한편에서 자는가? 배우자가 현재 함께 있다면 옷장 속에 배우자의 옷이 절반 정도 걸려 있기 때문에 당신은 옷장 공간을 반만 사용하고 있을 것이다. 식탁을 차릴 때 한 사람분 식탁을 차리는가, 아니면 두 사람분 식탁을 차리는가? 그저 빈자리 하나를 마련하는 일은 손쉽게 할 수 있다. 일상적인 행동이 당신의 소망과 어긋나지 않도록 최선을 다하라. 당신 주변에 있는 많은 소도구를 활용하여 당신이 원하는 것을 이미 가진 것처럼 느껴라. 이런 일들은 소도구와 상상력을 이용하여 할 수 있는 간단하고 사소한 것이지만 믿기 어려울 만큼 강력한 힘을 지닌다.

한 여자가 소도구와 상상력을 이용하여 말 한 마리를 받았다. 그녀는 평생 동안 말을 갖고 싶었지만 말을 살 돈이 없었다. 그녀가 갖고 싶은 말은 거세한 밤색 모건인데 한 마리 가격이 수천 달러를 훨씬 넘었다. 그래서 그녀는 매일 주방 유리창 밖을 내다볼 때마다 그곳에 그녀가 원하는 바로 그 말이 보인다고 상상했다. 밤색 모건 말 사진을 노트북 컴퓨터 모니터 위에 붙였다. 기회가 있을 때마다 종이에 끼적거리며 말 그림을 그렸다. 비록 말을 살 돈은 없었지만 판매용으로 나온 말들을 구경하러 다니기 시작했다. 아이들을 데리고 상점에 가서 함께 승마용 부츠를 신어 보았다. 안장도 살펴보았다. 그녀는 말 담요, 말 끄는 줄, 말 브러시 등 자기 형편에 살 수 있는 물품만이라도 구입한 뒤 이 물건들을 매일 볼 수 있는 곳에 진열해 놓았다. 그로부터 얼마 뒤 여자는 시에서 열리는 말 엑스포에 갔다. 엑스포에서는 복권이 판매되고 있었고 일등 당첨품은 거세한 밤색 모건, 그녀가 이제껏 상상해 왔던 바로 그 말이었다! 그리고 물론 그녀는 복권에 당첨되어 말을 받았다!

당신의 감각도 소도구가 된다. 그러므로 모든 감각을 열어 당신이 원하는 것을 가졌다고 느끼게 하라. 원하는 것의 감촉을 피부로 느껴라. 맛을 보고, 냄새를 맡고, 보고, 들어라!

모든 감각을 사용하여 일자리 제의가 몇 개나 들어오도록 만든 남자가 있다. 그는 3년에 걸쳐 75곳에 지원했지만 한 군데에도 합격하지 못했다. 그러나 그 뒤 그는 상상과 모든 감각을 이용하여 꿈의 직장을 가졌다고 상상했다. 새 사무실의 세세한 것까지 상상했다. 상상 속에서 컴퓨터 열쇠의 촉감을 느꼈다. 커다란 새 마호가니 책상에서 풍기는 가구 광택제의 레몬 향을 맡았다. 직장 동료의 모습을 상상했다. 그들에게 이름을 지어 주고 그들과 대화를 했으며 회의도 열었다. 심지어 점심시간에 먹는 타코 맛도 보았다. 7주 뒤 남자는 여러 곳에서 면접 요청을 받기 시작했다. 2차 면접도 쏟아져 들어왔다. 그리고 그는 멋진 직장의 합격 통지서를 한 곳도 아니고 두 곳에서나 받았다. 그는 가장 마음에 드는 직장을 선택했다. 그곳은 그가 꿈꾸던 직장이었다!

창조 과정에서 당신이 맡은 부분을 다 마쳤을 때 창조가 이루어진다는 사실을 깨달아라! 당신은 더 이상 원하는 것을 갖지 못했던 낡은 세계 속에 있지 않다. 설령 아직은 보이지 않아도 당신이 원하는 바로 그것이 있는 새로운 세계로 이미 옮겨 왔다. 당신이 그것을 받을 거라는 사실을 깨달아라!

파워의 핵심 포인트

• 삶에서 사랑의 힘을 이용하여 당신이 원하는 것을 불러들이고 당신이 원하지 않는 것을 바꿔라. 창조 과정은 늘 똑같다. 상상하고, 느끼고, 받아라.

• 상상은 당신이 원하는 것과 당신을 연결시킨다. 당신의 소망과 사랑의 감정은 자기, 즉 자석처럼 끌어당기는 힘을 만들고 당신의 소망을 당신에게로 끌어온다!

• 소망을 이룬 당신 모습을 상상하라. 동시에 그 상상 속 모습에 사랑을 느껴라.

• 당신이 원하는 것을 온 마음으로 소망하라. 당신이 좋아하는 것을 받기 위해서는 사랑을 주어야 하며 소망은 사랑의 감정이기 때문이다!

• 당신이 원하고 좋아하는 긍정적인 뭔가를 상상할 때 당신은 사랑의 힘을 이용한다. 당신의 상상을 한계까지 밀어붙이고 당신이 원하는 것이 무엇이든 당신이 원할 수 있는 가장 좋은 것, 최고의 것을 상상하라.

• 당신이 어떤 소망을 상상하든 그것은 이미 존재한다! 그게 무엇인지는 중요하지 않다. 당신이 상상할 수 있다면 그것은 이미 창조되어 존재한다.

• 대화할 때나 혼자 생각할 때 "만일 ……하면 어떨지 상상하라."에서 나머지 빈 곳에 당신이 원하는 것을 채워 넣고 말하라!

• 소도구를 이용하라. 당신이 원하던 것을 가졌을 때 어떤 느낌일지 상상하고 느낄 수 있도록 옷, 그림, 사진, 관련 물품들을 당신 주변에 두어라.

- 당신의 감각도 소도구가 된다. 그러므로 모든 감각을 열어 당신이 원하는 것을 가졌다고 느끼게 하라. 감촉을 느끼고, 맛보고, 냄새 맡고, 보고, 들어라!

- 창조 과정에서 당신이 맡은 부분을 다 마쳤을 때 설령 아직은 보이지 않아도 당신은 당신이 원하는 바로 그것이 있는 새로운 세계로 이미 옮겨 왔다. 당신이 그것을 받을 거라는 사실을 깨달아라!

느끼는 것이 창조다

"감정과 소망이 어긋나며 부딪힐 때는 언제나 감정이 이긴다."

네빌 고더드 (1905-1972)
신사상 운동 저자

감정이 형성하는 장

나는 당신이 좋은 감정을 통해 사랑을 줄 때 당신에게 어떤 일이 일어나는지 이해하기를 바란다. 그것은 진실로 대단하기 때문이다. 당신이 느끼는 감정은 당신을 온통 둘러싼 자기장을 형성한다. 모든 사람은 자기장으로 둘러싸여 있다. 그러므로 당신이 어디를 가든 자기장은 당신을 따라다닌다. 이와 비슷한 오래된 그림들을 본 적이 있을 텐데 그 그림 속 사람 주위에는 기운이나 후광이 나타나 있다. 그렇다. 모든 사람 주위에 생기는 기운은 실제로 전자기장이며 주위를 둘러싼 이 자기장을 통해 삶의 모든 것을 끌어당긴다. 어느 특정 순간에 당신 주위에 형성된 자기장이 긍정적인 것인지 부정적인 것인지는 당신이 느끼는 감정에 의해

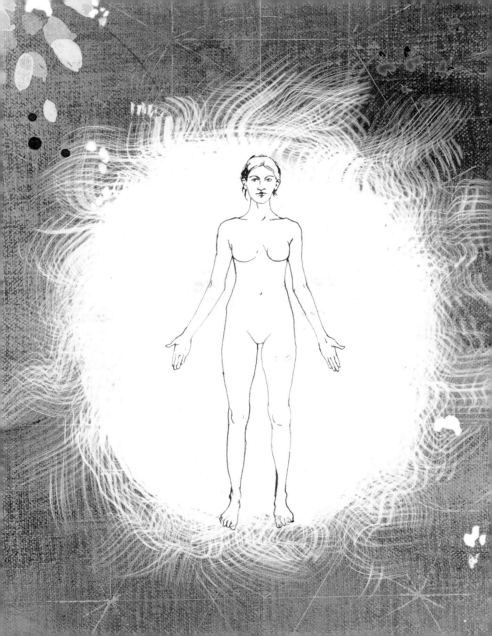

결정된다!

　감정, 말, 행동을 통해 사랑을 주는 매 순간마다 당신은 주위 자기장에 더 많은 사랑을 더한다. 당신이 더 많은 사랑을 줄수록 당신의 자기장은 더 커지고 파워가 세어진다. 자기장 안에 무엇이 있든 그것을 그대로 끌어당기며, 자기장 안에 사랑이 많을수록 당신이 좋아하는 것을 끌어당길 수 있는 파워가 많아진다. 자기장의 자기력이 매우 긍정적이고 강해서 섬광처럼 번쩍 하며 좋은 것을 상상하고 느낀 뒤 얼마 지나지 않아 그 일이 삶에서 일어나는 수준까지도 이를 수 있다! 이것은 당신이 지닌 믿을 수 없을 만큼 놀라운 파워다. 또한 사랑의 힘이 지닌 경이적인 파워다!

"당신은 생각하고 느끼는 능력을 통해서 모든 창조를 지배한다."

네빌 고더드 (1905-1972)
신사상 운동 저자

　사랑이 얼마나 빠른 속도로 작용하는지 보여 주는 아주 간단한 상황이 내 삶에서 벌어진 적이 있는데 이 이야기를 당신에게 들려주고 싶다. 나는 꽃을 매우 사랑하며, 그래서 매주 싱싱한 꽃을 구하려고 최선을 다한다. 꽃이 내게 행복을 주기 때문이다. 나는 대개 화훼직판장에서 꽃을 구입하는데, 이 일이 일어났던 주에는 비가 내려서 직판장이 열리지 않았고 꽃도 없었다. 이에 대한 내 반응은 꽃이 없어서 잘됐다는 것이었다. 이를 계기로 예전보다 훨씬 더 꽃에 대해 감사하고 꽃을 사랑하게 될 것이기 때문이다. 나는 실망감을 느끼는 대신 사랑을 느끼기로 선택했고, 그리하여 나의 자기장을 꽃에 대한 사랑으로 가득 채웠다.

두 시간 뒤 어마어마하게 큰 꽃다발이 내게 배달되었다. 지구 반대편에 있는 여동생이 지난번 내가 그녀를 도와준 일에 대해 고마운 마음을 전하면서, 이제까지 본 것 중 가장 아름다운 꽃을 내게 보낸 것이다. 당신이 사랑을 줄 수 있다면 어떤 상황이든 반드시 바뀐다!

사랑을 선택하는 것이 왜 중요한지 이제는 이해할 것이다. 사랑을 줄 때마다 주위 자기장에 있는 사랑이 커지고 늘어나기 때문이다. 매일의 일상에서 사랑을 더 많이 줄수록 주위의 자기장에는 사랑의 자기력이 더 커지고 당신이 원하는 모든 것이 당신 발아래 떨어질 것이다.

이는 사랑을 줄 때 당신 삶이 어떻게 되는지 보여 주는 마법이다. 예전에 내 삶은 지금처럼 마법 같지 않았다. 내 삶은 고난과 어려움으로 가득 차 있었다. 그러나 나는 삶에 대해 굉장히 멋진 뭔가를 발견했다. 내가 이 책에서 함께 나누려는 것이 모두 내가 발견한 것들이다. 사랑의 힘이 감당하지 못할 만큼 대단한 것은 없다. 너무 먼 거리도 있을 수 없고 극복할 수 없는 장애도 있을 수 없다. 시간도 장애가 되지 못한다. 당신은 우주에서 가장 위대한 파워를 이용함으로써 삶에서 뭐든 바꿀 수 있으며, 그러기 위해서는 그저 사랑을 주기만 하면 된다!

창조의 핵심 포인트

당신이 원하는 소망이 너무 크다고 여기는 경향이 있지만 그런 시각은 균형이 깨져 있다. 당신의 소망이 너무 크다고 생각할 때 사실상 당신은 끌어당김의 법칙에게 "이건 너무 대단한 거라서 이루기 어려울 거야. 게다가 아마 정말 오랜 시간이 걸릴 거야."라고 말하는 셈이다. 당신이 옳을 수도 있다. 당신이 무엇을 생각하고 느끼든 그대로 받기 때문이다. 당신의 소망이 정말로 큰 꿈이라고 생각한다면 당신은 원하는 것을 받는 과정에 어려움과 시간 지연을 불러들일 것이다. 그러나 끌어당김의 법칙에는 큰 것도 사소한 것도 없으며, 시간 개념도 없다.

창조에 대해 올바른 시각을 가지려면 당신의 소망이 아무리 크게 보일지라도 하나의 점만 한 크기라고 생각하라! 당신은 집을 원할 수도 있고, 자동차나 휴가, 돈, 완벽한 배우자, 꿈의 직장, 아이를 원할 수도 있다. 온몸 가득 건강한 활력을 받기를 원할 수도 있다. 시험에 합격하기를 원할 수도 있고, 특정 대학에 들어가거나 세계기록을 깨기를 원할 수도 있으며, 대통령, 성공한 배우, 변호사, 작가, 교사가 되기를 원할 수도 있다. 당신이 무엇을 원하는지는 중요하지 않다. 그것이 점만 한 크기라고 생각하라. 당신이 원하는 것은 사랑의 힘 앞에서 점보다 '더 작기' 때문이다!

> "우리가 품은 의심이 배신자이며, 우리에게 좋은 일이 생길 만한 때가 종종 있어도 이 의심 때문에 놓쳐 버린다."
>
> 윌리엄 셰익스피어 (1564-1616)
> 영국 극작가

내가 꿈꾸는 가정

당신의 믿음이 흔들린다면 커다란 원 안에 점 하나를 찍고 그 점 옆에 당신의 소망을 적어라. 당신이 원 속에 그려 넣은 점을 시시때때로 바라보면서 당신의 소망이 사랑의 힘 앞에서는 이 점만 한 크기라는 '사실'을 되새겨라!

부정적인 것을 어떻게 바꿀까

당신의 삶에 부정적인 것이 들어 있어서 이를 바꾸고 싶다면 이때에도 과정은 똑같다. 당신이 원하는 것을 가졌다고 상상하고 느낌으로써 사랑을 주라. 부정적인 것은 모두 사랑의 부족이라는 사실을 기억하라. 그렇다면 부정적인 상황의 반대는 사랑'이기' 때문에 반대 상황을 상상해야 한다! 예를 들어 병이 낫기를 바란다면 당신의 건강한 모습에 사랑을 주어야 한다.

창조 과정을 이용하여 부정적인 것을 바꾸고자 할 때 당신이 깨달아야 하는 사실이 있다. 부정적인 것을 긍정적인 것으로 바꿀 필요가 없다는 점이다. 그런 노력은 정말로 힘들게 느껴지기도 하지만 창조가 이루어지는 방식도 아니다. 창조란 '새로운' 것이 만들어지는 것을 뜻하는데, 이 새로운 것이 저절로 옛것을 대체한다. 당신이 바꾸고 싶은 대상에 대해 생각할 필요는 없다. 그저 원하는 일에 사랑을 주기만 하면 된다. 그러면 사랑의 힘이 당신을 대신해서 부정성을 바꿔 놓을 것이다.

　어떤 사람이 부상을 당해서 병원 치료를 받고 있는데 상태가 호전되지 않는다면 이는 완전히 회복된 상태보다 부상당한 일에 대해 더 많이 상상하고 느낀다는 의미다. 저울의 균형이 회복으로 기울게 하려면 완전히 회복되지 않은 상태보다 완전히 회복된 상태를 '더 많이' 상상하고 느껴야 한다. 완전히 회복된 상태를 상상할 수 있다는 것은 그런 상태가 이미 존재한다는 것을 뜻한다! 뭐든 기분을 좋게 하는 것에 대한 좋은 감정으로 당신의 자기장을 가득 채워라. 삶의 모든 영역에서 당신의 사랑을 키워 가라.

　할 수 있는 데까지 최대한 좋은 감정을 느껴라. 사랑을 주는 매 순간마다 완전한 회복이 찾아오기 때문이다.

　　"당신이 느끼는 감정이 당신의 신이다."

　　　　　　　　　　　　　차나키야 (기원전 350-275)
　　　　　　　　　　　　　인도 정치가이자 작가

　건강, 돈, 인간관계, 그 밖에 다른 어떤 것을 바꾸고 싶더라도 과정은 똑같다! 당신이 원하는 것을 상상하라. 원하는 것을 가질 때 느끼는 사랑을 상상하고 느껴라. 당신이 원하는 것과 관련해서 상상할 수 있는 모든 장면과 상황을 상상하고 그것을 지금 누리고 있다고 느껴라. 하루에 7분씩 할애하여 당신이 원하는 것을 누린다고 상상하고 느껴 보라. 당신의 소망이 이미 이루어진 것처럼 느껴질 때까지 매일 그렇게 하라. 당신 이름이 당신의 것이라고 여기듯이 당신의 소망이 당신의 것이라고 여겨질 때까지 그렇게 하라. 하루 이틀 만에 이런 상태에 도달하는 경우가 있는가 하면 시간이 더 오래 걸리는 경우도 있다. 그런 다음 당신이 할 수 있는 데까지 최대한 많은 사랑과 좋은 감정을 주면서 그냥 계속 당신의 삶을 살아가라. '당신이 사랑을 더 많이 줄수록 당신이 소망하는 것을 더 빨리 받기 때문이다.'

당신이 원하는 것을 가진 것처럼 상상하고 느끼고 나면 이 상상을 통해서 당신은 말 그대로 새로운 세계로 들어선다. 그러므로 부상이 호전되지 않는 데 대해 모든 사람에게 말함으로써 새로운 세계와 어긋나는 말을 하지 마라. 그러면 당신은 다시 최악의 일을 상상하게 되며, 다시 과거의 세계로 돌아간다. 최악의 것을 상상하면 그대로 돌려받는다. 가장 좋은 것을 상상하면 그대로 돌려받는다. 누군가 당신에게 부상 상태가 어떠냐고 물으면 "100퍼센트 다 나은 것 같은 '기분'이며 내 몸도 따라오고 있어요."라고 말할 수 있다. 또한 이렇게도 말할 수 있다. "이번 일은 축복이었어요. 덕분에 예전보다 더 내 몸과 건강을 사랑하게 되었거든요." 혹시 당신이 아주 대담하다면 "나는 완전히 씩씩하게 회복되었어요."라고 말할 수도 있다.

원하지 않는 것에 대해 이야기하면 당연히 기분이 나빠진다. 아주 단순하지만 사람들은 많은 시간 동안 기분이 좋지 않은 상태로 지내는 데 너무 익숙해져서 자신이 원하지 않는 것에 대해 상상하고 말할 때 기분이 얼마나 나쁜지 알아채지도 못한다. 어떤 감정 상태인지 좀 더 많이 의식할 때, 그리고 감정에 대해 더 많은 관심을 기울일 때 당신은 좋은 기분이 조금만 가라앉아도 견디지 못하는 상태에 이른다. 기분 좋은 상태에 매우 익숙해지고 감정을 아주 잘 의식하게 되어, 기분이 가라앉으면 이를 느끼고 곧바로 자신을 기분 좋은 상태로 돌려놓을 것이다. 당신은 원래 대부분의 시간을 행복하고 기분 좋게 지내야 하는 사람이었다. 당신은 원래 놀라운 삶을 살아야 하는 사람이기 때문이다. 또 그 방법 말고는 놀라운 삶을 살 수 있는 다른 길이 없기 때문이다!

> "나는 어떤 상황에 놓인다 해도 여전히 즐겁고 행복하게 살기로 했다.
> 행복이나 불행의 많은 부분은 우리가 처한 상황에 달린 게 아니라
> 우리의 마음가짐에 달려 있다는 것을 경험으로 배웠기 때문이다."
>
> **마사 워싱턴** (1732-1802)
> 퍼스트레이디, 미국 초대 대통령 조지 워싱턴의 아내

나쁜 감정을 없애는 방법

감정 상태를 바꿈으로써 삶에서 무엇이든 바꿀 수 있다. 어떤 대상에 대해 느끼는 감정 상태를 바꾸면 그 대상도 반드시 바뀐다! 그러나 감정 상태를 바꿀 때 나쁜 감정을 없애려고 노력하지 마라. 모든 나쁜 감정은 그저 사랑의 부족에서 오기 때문이다. 대신에 사랑을 쏟아라! 화나 슬픔을 없애려고 노력하지 마라. 사랑을 쏟으면 화와 슬픔은 저절로 사라진다. 당신 안에서 퍼내야 하는 것은 아무것도 없다. 당신 안에 사랑을 쏟을 때 모든 나쁜 감정은 사라진다.

삶에는 오직 한 가지 힘밖에 없으며 이 힘은 사랑이다. 사랑으로 가득 차서 좋은 감정을 느끼거나, 아니면 사랑이 없어서 나쁜 감정을 느낀다. 모든 감정은 사랑의 정도 문제다.

사랑이 유리잔 속의 물이고 당신 몸이 유리잔이라고 여기면서 사랑에 대해 생각해 보라. 유리잔 속에 물이 조금밖에 없으면 물이 없는 상태다. 빈 상태와 싸움을 벌이거나 빈 상태를 격렬히 비난하는 식으로 유리잔 속의 물 높이를 바꿀 수는 없다. 빈 상태는 유리잔에 물을 채우면 자연히 사라진다. 당신이 나쁜 감정을 품고 있다면 당신은 사랑이 비어 있는 상태다. 그러므로 당신 안에 사랑을 쏟으면 나쁜 감정은 사라진다.

나쁜 감정에 맞서지 마라

나쁜 감정을 포함해 모든 것은 삶 속에 완벽한 자기 자리가 있다. 나쁜 감정이 없다면 좋은 감정을 느끼는 게 어떤 기분인지 결코 알지 못했을 것이다. 항상 "시시한" 느낌 한 가지만 느낄 것이다. 감정을 비교할 대상이 없기 때문이다. 정말로 행복한 게 어떤 느낌인지, 신 나고 기쁜 게 어떤 느낌인지 알지 못했을 것이다. 슬픔을 느낌으로써 비로소 행복한 기분이 얼마나 좋은지 안다. 삶에서 나쁜 감정을 완전히 없앨 수는 없다.

나쁜 감정도 삶의 한 부분이며 나쁜 감정이 없다면 좋은 감정을 가질 수 없기 때문이다!

나쁜 감정이 든다고 기분 나쁘게 느끼면 나쁜 감정에 힘을 더 실어 주게 된다. 당신이 느끼는 나쁜 감정이 더 악화될 뿐만 아니라 당신이 내보내는 부정성도 늘어난다. 나쁜 감정이 당신이 원하는 삶을 가져다주지 않는다는 걸 이제는 당신도 이해하므로 나쁜 감정에 사로잡히지 않도록 더욱 유의하게 될 것이다. 당신의 감정을 책임지는 사람은 당신이다. 그러므로 마음이 온통 나쁜 감정으로 뒤덮일 때 이 나쁜 감정의 에너지를 방출하기 위해서는 이를 가볍게 대해야 한다!

"드러나지 않은 세계가 있다. 생각과 감정과 파워의 세계이며, 빛과 아름다움의 세계다. 이 세계의 힘은 비록 눈에 보이지 않지만 엄청나다."

찰스 해낼 (1866-1949)
신사상 운동 저자

삶은 원래 재미있다! 삶이 재미있으면 멋진 기분이 들고 멋진 것을 받는다! 삶을 너무 심각하게 받아들이면 심각한 것을 받는다. 재미있게 살면 당신이 원하는 삶이 찾아오고 너무 심각하게 받아들이면 심각하게 받아들여야 하는 삶이 찾아온다. 당신에게는 삶을 지배할 파워가 있으며 이 파워를 이용하여 당신이 원하는 방식대로 삶을 설계할 수 있지만 부디 당신을 위해 가볍게 대해라!

나는 나쁜 감정을 가볍게 대하기 위해서 나쁜 감정을 거친 말이라고 상상했다. 내 마구간은 화난 말, 성내는 말, 비난하는 말, 부루퉁한 말, 괴팍한 말, 심술 난 말, 초조한 말 등 셀 수 없이 나쁜 감정의 말로 가득했다. 나는 이미 일어난 일에 대해 실망을 느낄 때 스스로에게 이렇게 말한다. "왜 실망의 말에 올라탄 거니? 지금 내려와. 그 말은 '더 큰' 실망이 있는 곳으로 갈 테고 넌 그곳에 가고 싶지 않잖아." 또한 나는 나쁜 감정을 내가 올라탄 거친 말이라고 상상한다. 내가 말 위에 올라탔다면 거기서 내려올 수도 있다. 나는 나쁜 감정이 진짜 나라든가 다른 어느 누구라고 보지 않는다. 그것은 사실이 아니기 때문이다. 나쁜 감정은 당신의 존재가 아니며 어느 누구의 존재도 아니다. 나쁜 감정을 당신 스스로에게 허락했을 뿐이며, 당신이 순식간에 말에 올라탔듯이 얼른 다시 말에서 내려올 수도 있다.

나쁜 감정을 당신이 올라탄 거친 말이라고 여긴다면 나쁜 감정의 파워를 빼앗는 한 가지 방법이 있다! 당신 곁에 누군가 괴팍한 사람들이 있을 때 그들이 괴팍한 말에 올라타 있다고 상상하면 그들의 나쁜 감정이 당신에게 영향을 미치는 파워를 훨씬 줄일 수 있다. 그들의 괴팍함을 감정적으로 받아들이지 않게 되는 것이다. 그러나 당신이 이를 감정적으로 받아들이고 그들의 괴팍스러움으로 인해 당신마저 괴팍스러워진다면 '당신은' 그들과 함께 괴팍스러운 말에 올라탄 것이다!

"어리석은 대우를 받더라도 현명하게 처신하라."

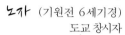

노자 (기원전 6세기경)
도교 창시자

그러므로 나는 원치 않는 무엇이든 내 삶에 들어오면 상상을 이용하여 재미있게 즐기면서 그 파워를 빼앗아 버린다. 때때로 나나 다른 사람들이 삶의 여러 상황에서 거친 말 위에 올라타 있는 모습을 지켜볼 때면 웃음이 나온다. 나쁜 감정에서 벗어나 스스로를 향해 웃을 수 있다면 이는 정말 멋진 일이다! 방금 당신의 삶을 바꾸었기 때문이다.

그러므로 나쁜 감정이 들 때 그런 자신을 질책함으로써 나쁜 감정에 더 많은 파워를 실어 주지 마라. 그렇게 하면 거친 말에게 채찍질을 가해 더 부정적인 흥분 상태로 몰아간다. 나쁜 감정을 미워하지 말고 대신 의도적으로 좋은 감정을 선택하고, 더 자주 좋은 감정을 선택하는 것이 나은 방법이다. 나쁜 감정에 맞서면 나쁜 감정이 더 커진다! 나쁜 감정을 원하지 않을수록 나쁜 감정을 더욱 키운다. 삶에서 뭔가에 더 맞설수록 그것을 더 많이 당신에게 불러들인다. 절대로 나쁜 것에 맞서지 마라. 그러면 나쁜 것으로부터 파워를 모두 빼앗을 수 있다.

파워의 핵심 포인트

- 모든 사람은 자기장으로 둘러싸여 있다. 그러므로 당신이 어디를 가든 자기장은 당신을 따라다닌다.

- 당신은 당신 주위를 둘러싼 자기장을 통해 삶의 모든 것을 끌어당긴다. 어느 특정 순간에 당신 주위에 형성된 자기장이 긍정적인지 부정적인지는 당신이 느끼는 감정에 의해 결정된다.

- 감정, 말, 행동을 통해 사랑을 주는 매 순간마다 당신은 주위 자기장에 더 많은 사랑을 더한다.

- 당신의 자기장 안에 사랑이 많을수록 당신이 좋아하는 것을 끌어당길 수 있는 파워가 많아진다.

- 당신이 원하는 것이 점만 한 크기라고 상상하라! 당신이 원하는 것은 사랑의 힘 앞에서 점보다도 작다!

- 당신은 부정적인 것을 긍정적인 것으로 바꿀 필요가 없다. 그저 당신이 원하는 것에 사랑을 주라. 당신이 원하는 것을 창조하면 부정성이 없어진다!

- 하루에 7분씩 할애하여, 당신이 원하는 것을 누린다고 상상하고 느껴 보라. 당신 이름이 당신의 것이라고 여기듯이 당신의 소망이 당신의 것이라고 여겨질 때까지 그렇게 하라.

- 삶에는 오직 한 가지 힘밖에 없으며 이 힘은 사랑이다. 사랑으로 가득 차서 좋은 감정을 느끼거나, 아니면 사랑이 없어서 나쁜 감정을 느낀다. 모든 감정은 사랑의 정도 문제다.

- 나쁜 감정을 가볍게 대하려면 나쁜 감정을 당신이 올라탄 거친 말이라고 상상하라. 당신이 거친 말 위에 올라탔다면 거기서 내려올 수도 있다! 당신이 순식간에 말에 올라탔듯이 얼른 다시 말에서 내려올 수도 있다.

- 당신이 주는 것을 바꿔라. 그러면 당신이 받는 것을 언제나 예외 없이 바꿀 수 있다. 그것이 끌어당김의 법칙이기 때문이다. 그것이 사랑의 법칙이다.

삶은 당신을
따라간다……

"운명은 우연의 문제가 아니다. 운명은 선택의 문제다."

윌리엄 제닝스 브라이언 (1860-1925)
미국 정치 지도자

삶은 당신을 '따라간다'. 당신이 생각과 감정을 내보냈다는 사실을 알든 모르든 삶에서 겪는 모든 일은 당신이 생각과 감정을 통해 무엇을 내보냈는지에 따라 정해진다. 삶은 당신'에게' 일어나는 게 아니다……. 삶은 당신을 '따라간다'. 운명은 당신 손에 달려 있다. 당신이 무엇을 생각하든, 무엇을 느끼든, 삶은 그것에 의해 결정될 것이다.

'좋아하는' 것을 선택할 수 있도록 삶의 모든 것이 당신 앞에 제시된다! 삶은 카탈로그이며 당신은 이 카탈로그에서 좋아하는 것을 선택하는 사람이다! 그런데 당신은 좋아하는 것을 선택하고 있는가, 아니면 나쁜 것을 판단하고 딱지를 붙이기에 바쁜가? 당신이 멋진 삶을 살고 있지 않다면 당신은 자기도 모르게 모든 나쁜 것에 딱지를 붙여 왔다. 당신이 나쁘다고 여긴 것들이 마음을 어지럽혀서 삶의 목적에 집중하지 못하도록 했던 것이다. 당신 삶의 목적은 사랑하는 데 있기 때문이다! 당신 삶의 목적은 기쁨에 있다. 당신 삶의 목적은 좋아하는 것을 선택하는 데 있으며, 좋아하지 않는 것을 외면하여 그런 것을 선택하지 않도록 하는 데 있다.

좋아하는 것을 선택하라

당신이 꿈꾸는 자동차가 붕 소리를 내며 거리를 달리는 모습이 당신 앞에 보일 때 삶은 당신에게 그 자동차를 보여 주고 있다! 모든 것은 당신이 꿈꾸는 자동차를 볼 때 느끼는 감정 상태에 달려 있다. 그 자동차에 대해 오로지 사랑만을 느끼기로 선택한다면 당신은 꿈꾸는 자동차를 당신에게로 불러들인다. 하지만 다른 누군가가 당신이 꿈꾸는 자동차를 몰고 있다는 이유로 부러움이나 질투를 느낀다면 당신은 방금 땡하고 종을 쳐서 자동차가 당신에게 오지 못하도록 막아 버렸다. 삶은 당신이 자동차를 선택할 수 있도록 당신 앞에 자동차를 보여 주며, 당신은 사랑을 느낌으로써 자동차를 선택한다. 다른 누군가는 가졌는데 당신은 갖지 못했다는 사실 여부가 별로 중요하지 않다는 점이 이해되는가? 삶은 당신 앞에 모든 것을 제시해 주며, 당신이 사랑을 느낀다면 그것을 당신에게로 불러들인다.

　　서로 뜨겁게 사랑하는 행복한 부부를 보고 당신이 삶에서 배우자를 절실하게 원했다면, 삶은 당신이 선택할 수 있도록 하기 위해서 당신 앞에 행복한 부부를 제시한 것이다. 그러나 행복한 부부를 보고서 슬픔이나 외로움을 느낀다면 당신은 방금 부정성을 내보냈고, 결국 "나는 슬픔과 외로움을 원해."라고 말한 셈이다. 당신이 원하는 것에 사랑을 주어야 한다. 당신이 뚱뚱한 사람인데 길을 걷다가 완벽한 몸매를 가진 사람이 지나가면 어떤 느낌이 드는가? 삶은 당신이 선택하도록 멋진 몸매를 당신 앞에 보여 주고 있다. 그러므로 당신이 그런 몸매를 갖지 못했다고 해서 기분 나쁘게 느낀다면 당신은 방금 "난 저런 몸매를 원하지 않아. 나처럼 뚱뚱한 몸을 원해."라고 말한 셈이다. 당신이 질병과 싸우고 있고 주변에 온통 건강한 사람들이 있다면 어떻게 느끼겠는가? 삶은 당신이 건강을 선택할 수 있도록 당신 앞에 건강한 사람들을 보여 주고 있다. 그러므로 당신이 건강하지 못한 데 대해 기분이 나쁘지 않고 주변에 있는 건강한 사람들에게 사랑을 느낀다면, 당신은 스스로를 위해 건강을 선택한 셈이다.

　　누가 무엇을 가졌든 그것에 대해 기분 좋은 감정을 느낄 때 당신은 그것을 당신에게로 불러들인다. 다른 사람의 성공, 다른 사람의 행복, 또는 다른 누군가가 가진 모든 좋은 것에 대해 기분 좋게 느낄 때 당신은 삶의 카탈로그에서 그런 것을 선택하고 당신 자신에게로 불러들인다.

당신이 갖고 싶은 자질을 갖춘 누군가를 만났을 때 그런 자질을 사랑하고 그 사람 안에 있는 자질에 대해 기분 좋은 감정을 느껴라. 그렇게 할 때 당신은 그 자질을 당신에게로 불러들인다. 똑똑하고 아름답고 재능이 많은 사람이 있다면 그 자질을 사랑하라. 그러면 '당신 자신'을 위해 그런 자질을 선택하는 셈이다!

부모가 되고 싶어서 오랫동안 노력해 왔다면 아이와 함께 있는 부모를 볼 때마다 사랑을 주고 기분 좋은 감정을 느껴라! 당신에게 아이가 없다고 해서 아이를 볼 때 절망감을 느낀다면 당신은 아이를 멀리 밀어내고 쫓아내고 있다. 당신에게 아이들이 보일 때마다 삶은 당신이 아이를 선택할 수 있도록 당신 앞에 아이를 보여 주고 있다.

당신이 참가한 운동 경기에서 다른 사람이 이겼을 때, 직장 동료가 연봉이 인상되었다고 당신에게 말할 때, 누군가가 복권에 당첨되었을 때, 친구의 배우자가 주말여행이라는 깜짝 선물을 해 주었다고 친구가 말할 때, 또는 친구 부부가 멋진 새집을 샀다거나 자녀가 장학금을 받았다고 말할 때 그들만큼이나 좋아하면서 흥분해야 한다. 당신에게 그런 일이 일어난 것처럼 좋아하고 행복해야 한다. 그렇게 함으로써 그 일에 "네."라고 말하고, 그것에 사랑을 쏟으며, 그것을 당신에게 불러들이기 때문이다!

당신 앞에 꿈꾸던 차가 보이고, 행복한 부부가 보이고, 완벽한 몸매가 보이고, 아이가 보이고, 누군가의 멋진 자질이 보일 때, 또 그 밖에 뭐든 당신이 원하는 게 당신 앞에 보일 때 이는 곧 당신이 그런 것들과 똑같은 주파수대에 있다는 것을 뜻한다. 좋아하면서 흥분하라! 당신의 흥분이 곧 그것을 선택하는 것과 같기 때문이다.

좋아하는 것과 좋아하지 않는 것을 선택할 수 있도록 삶의 모든 것이 당신 앞에 모습을 드러낸다. 그러나 오로지 사랑만이 당신이 좋아하는 것을 당신에게 가져다준다. 삶의 카탈로그 안에는 당신이 좋아하지 않는 것들이 많이 들어 있다. 그러므로 기분 나쁜 감정을 내보냄으로써 그런 것들을 선택하는 결과를 만들지 마라. 다른 사람을 판단하고 나쁘다고 생각하면 당신은 스스로에게 부정성을 불러들인다. 다른 사람이 가진 뭔가를 부러워하고 질투하면 당신이 원하는 바로 그것을 강력한 힘으로 밀어내면서 스스로에게 부정성을 불러들인다. 오로지 사랑만이 당신이 원하는 것을 당신에게 가져다준다!

"진심으로 사랑하는 사람들에게 매 순간 기적이 일어난다. 그들은 많이 줄수록 점점 더 많이 가진다."

라이너 마리아 릴케 (1875-1926)
작가이자 시인

하나의 법칙 – 바로 당신!

　모든 사람, 모든 상황, 모든 환경과 관련해서 당신에게 큰 도움이 되는 끌어당김의 법칙을 위해 당신이 이용할 수 있는 단순한 공식이 있다. 끌어당김의 법칙에서 볼 때 이 세상에는 오직 한 사람만 있다. 바로 당신이다! 끌어당김의 법칙에서 볼 때에는 다른 사람도 없고 다른 것도 없다. 오로지 당신만 있다. 끌어당김의 법칙은 '당신의' 감정에만 반응하기 때문이다! 오로지 당신이 무엇을 내보내는지가 중요하다. 이는 다른 모든 사람에게도 똑같이 적용된다. 그러므로 사실상 끌어당김의 법칙은 '당신의' 법칙이다. 당신만이 있으며 다른 사람은 없다. 끌어당김의 법칙에서 보면 다른 사람이 당신이고, 저기 있는 다른 사람도 당신이며, 다른 사람들도 당신이다. 왜냐하면 당신이 다른 누군가에게 어떤 감정을 느끼든 그것을 '당신에게로' 불러들이기 때문이다.

당신 아닌 사람에게 느끼는 감정도, 당신 아닌 사람에 대해 생각하거나 말하는 것도, 당신 아닌 사람에게 하는 행동도 결국은 당신에게 하는 것이다. 다른 사람을 판단하고 비판할 때 당신은 스스로를 그렇게 판단하고 비판하고 있다. 다른 사람이나 다른 어떤 것에 사랑과 감사를 보낼 때 당신은 자신에게 사랑과 감사를 보내고 있다. 끌어당김의 법칙에는 다른 사람이 없다. 그러므로 다른 누군가가 당신이 원하는 것을 갖고 있더라도 별 차이가 없다. 당신이 그것에 사랑을 느낄 때 당신은 그것을 '당신' 삶 속으로 끌어들이고 있다! 뭐든 당신이 좋아하지 않는 것이 있을 때에는 판단하지 말고 그냥 고개를 돌려라. 그러면 그것을 삶 속으로 끌어들이지 않을 수 있다.

끌어당김의 법칙에는 오로지 "네."라는 대답만 있다

좋아하지 않는 것을 외면하고 그쪽에는 어떤 감정도 주지 마라. 좋아하지 않는 것을 향해 "아니요."라고 말하지 마라. "아니요."라고 말하면 그 대상을 당신에게로 불러들이기 때문이다. 좋아하지 않는 것을 향해 "아니요."라고 말할 때 당신은 그것들에 대해 기분 나쁜 감정을 느끼며, 기분 나쁜 감정을 주게 된다. 그러면 그런 감정들을 당신 삶의 부정적 상황으로 돌려받을 것이다.

그 어떤 것에 대해서도 "아니요."라고 말해서는 안 된다. "아니요, 난 그것을 원치 않아요."라고 말할 때 당신은 끌어당김의 법칙에 '네'라고 말하고 있다. "교통 정체가 지독해." "서비스가 정말 형편없어." "저 사람들은 항상 늦게 와." "여긴 너무 시끄러워." "저 운전자가 미쳤나 봐." "전화 대기 시간이 너무 길어." 이렇게 말할 때 당신은 그런 일들에 '네'라고 말하며 이 모든 것들을 더 많이 당신 삶으로 끌어들인다.

좋아하지 않는 것을 외면하고 그쪽에는 어떤 감정도 주지 마라. 그 자체로는 괜찮은 것일지라도 당신 삶에는 있을 자리가 없기 때문이다.

> "어떤 악도 보지 마라. 어떤 악도 듣지 마라. 어떤 악도 말하지 마라."
>
> *일본 토쇼구 신사에 적혀 있는 격언*
> (17세기)

그 대신 당신이 좋아하는 것을 볼 때 '네'라고 말하라. 좋아하는 것을 들을 때 '네'라고 말하라. 좋아하는 것을 맛볼 때 '네'라고 말하라. 좋아하는 것을 만질 때 '네'라고 말하라. 당신이 그것을 가졌든 그렇지 않든 상관없다. 그것을 향해 '네'라고 말하라. 그렇게 하면 사랑을 줌으로써 그것을 선택하기 때문이다.

어떤 한계도 없다. 당신이 진심으로 원한다면, 당신이 진심으로 소망한다면 모든 것이 가능하다. 우주 어디에도 부족한 것은 없다. 뭔가가 부족한 게 사람들에게 보일 때 이는 그저 사랑이 부족한 것일 뿐이다. 건강한 활력도, 돈도, 자원도, 행복도 부족하지 않다. 공급은 수요를 감당할수 있다. 사랑을 주면 당신은 받을 것이다!

당신의 삶 - 당신의 이야기

당신은 당신 삶의 이야기를 창조하고 있다. 그렇다면 어떤 이야기를 들려줄 것인가? 당신이 할 수 있는 것과 할 수 없는 것이 있다고 믿는가? 이런 이야기를 들려줄 것인가? 이런 이야기는 사실이 아니다.

당신이 다른 누군가보다 뒤떨어진다고 말하는 사람이 있다면 귀 기울이지 마라. 어쨌든 당신에게 한계가 있다고 말하는 사람이 있다면 귀 기울이지 마라. 하고 싶은 것을 하면서 돈을 벌 수 없다고 말하는 사람이 있다면 귀 기울이지 마라. 당신은 이제껏 살았던 가장 위대한 사람만큼 소중하거나 가치 있는 사람도 아니라고 말하는 사람이 있다면 귀 기울이지 마라. 당신은 현재 그렇게 훌륭한 사람이 아니며 삶에서 당신 자신을 증명해야 한다고 말하는 사람이 있다면 귀 기울이지 마라. 좋아하는 것을 가질 수 없다거나, 좋아하는 일을 할 수 없다거나, 되고 싶은 사람이 될 수 없다고 말하는 사람이 있다면 귀 기울이지 마라. 그 말을 믿을 때 당신은 스스로에게 한계를 둔다. 게다가 더 중요한 것은 그게 사실이 아니라는 점이다! 너무 대단해서 당신에게는 해당되지 않는 것, 또는 너무 대단해서 실현될 수 없는 것은 하나도 없다.

사랑의 힘은 "당신이 무엇을 주든 그대로 돌려받는다."라고 말한다. 당신이 그 정도로 대단한 사람이 아니라고 말하던가? 사랑의 힘은 "당신이 되고 싶은 사람, 하고 싶은 일, 갖고 싶은 것에 사랑을 주면 그것을 받을 것이다."라고 말한다. 당신이 그 정도로 대단한 사람이 아니라고 말하던가? 당신은 바로 지금 모습 그대로 훌륭하며 가치가 있다. 당신은 현재 그 정도로 대단한 사람'이다'. 옳지 않은 일을 했다고 느낀다면 끌어당김의 법칙에서는 당신이 그것을 '깨닫고 인정하는' 것으로 잘못이 면죄된다.

현실 세계

"태초에 오직 가능성만이 있었다. 우주는 누군가에게 관측될 때에야
비로소 존재할 수 있었다. 관측자가 수십억 년 뒤에야 나타났다는 건
중요하지 않다. 우리가 알아보았기 때문에 우주가 존재한다."

마틴 리스 (1942년 생)
천체물리학자

　나는 당신 눈에 보이는 세계의 뒤편으로 당신을 데려가고 싶다. 당신
눈에 보이는 많은 부분이 진짜 현실이라고 생각할지 몰라도 사실은 그
렇지 않다. 용기를 내어 보이지 않는 세계에 몇 걸음만 들어가 보면 세상
을 바라보는 방식이 바뀔 것이며 무한한 생명을 자유롭게 받을 것이다.

　현재 당신이 현실 세계에 대해 믿고 있을 대부분의 것들은 사실이 아
니다. 당신이 알고 있는 이상으로 당신은 대단한 존재다. 당신이 알고 있
는 이상으로 삶과 우주는 대단하다. 당신은 세상의 것들이 한정되어 있
다고 생각할지 모른다. 돈, 건강, 자원이 한정되어 있다고 생각할지 모르
지만 이는 사실이 아니다. 그 어떤 것도 부족하지 않다. 양자물리학에
서는 수없이 많은 지구 행성과 수많은 우주가 존재하며, 우리가 몇 분
의 1초도 안 되는 순식간에 한 가지 실재의 지구 행성과 우주에서 또

다른 실재의 지구 행성과 우주로 옮겨 간다고 말한다. 이것이 과학을 통해 드러난 현실 세계의 모습이다.

"우리가 사는 우주에서 우리는 물리적 현실에 대응되는 주파수에 맞춰져 있다. 그러나 비록 해당 주파수에 맞춰져 있지 않더라도 같은 공간 안에는 무수한 평행 현실이 우리와 함께 공존하고 있다."

스티븐 와인버그 (1933년 생)
노벨상 수상 양자물리학자

당신은 현실 세계에서 시간이 부족하다고 생각할 것이며, 이 때문에 시간과 다투며 바삐 살아가는 건지도 모른다. 그러나 위대한 과학자 알베르트 아인슈타인은 시간이 환상이라고 말했다.

"과거, 현실, 미래의 구분은 오로지 좀처럼 사라지지 않는 환상에 있다."

알베르트 아인슈타인 (1879-1955)
노벨상 수상 물리학자

당신은 현실 세계가 산 것과 죽은 것으로 이루어져 있다고 생각할지 모른다. 그러나 우주의 모든 것은 살아 있으며 죽은 것은 '아무것도 없

다'. 별, 태양, 행성, 지구, 공기, 물, 불, 당신 눈에 보이는 모든 물체가 생명
력으로 끓어 넘치고 있다. 이런 현실 세계의 모습이 점차 명확하게 드러
나고 있다.

"나무 안에는 당신의 사랑을 느끼고 반응하는 감각이 있다. 이 감각은
우리 방식이나 우리가 현재 이해할 수 있는 그 어떤 방식으로도 반응하지
않으며 자신이 느낀 기쁨을 보여 주지도 않는다."

프렌티스 멀포드 (1834-1891)
신사상 운동 저자

당신에게 보이는 것만이 현실 세계이며 당신에게 보이지 않는 것은 모
두 현실이 아니라고 믿을지도 모른다. 그러나 당신이 어떤 사물을 볼 때
보이는 색깔은 사실 그 사물의 실제 색깔이 '아니다'. 각 사물은 실제 자
기 색깔을 모두 흡수하고 자기 색깔이 아닌 것을 반사하는데, 바로 이
자기 색깔이 아닌 색이 우리 눈에 보이는 색이다. 그러므로 파란색을 '제
외한' 다른 모든 색이 실제로 하늘의 색깔이다!

당신이 들을 수 있는 주파수 범위를 벗어나기 때문에 당신에게 들리
지 않는 소리가 많지만 이 소리들은 모두 실재한다. 자외선이나 적외선
은 당신 눈이 볼 수 있는 주파수 범위를 넘어서기 때문에 당신에게 보이

지 않지만 이 광선은 실재한다. 알려진 모든 빛의 주파수가 에베레스트 산 정도의 규모라고 한다면 당신이 볼 수 있는 범위는 고작 해야 골프공 보다도 작다!

현실 세계는 모두 당신이 보고 만질 수 있는 단단한 것으로 이루어져 있다고 믿을지도 모른다. 그러나 실제로 단단한 것은 아무것도 없다! 지금 당신이 앉아 있는 의자는 움직이는 에너지의 힘이며 대개는 빈 공간이다. 그렇다면 당신이 앉아 있는 의자를 어떻게 실재한다고 할 수 있는가?

"현명한 사람은 세상이 그저 환상일 뿐이라고 인식하고, 세상이 실재하는 것처럼 행동하지 않는다. 그 결과(그러므로) 그는 고통에서 벗어난다."

고타마 붓다 (기원전 563-483)
불교 창시자

당신의 상상은 그저 생각과 꿈일 뿐 현실 세계에서 아무런 힘을 갖지 못한다고 믿을지도 모른다. 그러나 사실을 입증하고자 하는 과학자가 겪는 어려움 중 하나는 과학 실험에서 과학자 자신의 믿음을 배제시키는 일이다. 실험 결과가 이러저러하게 나올 거라고 과학자 스스로 믿거나 상상하는 것이 실험 결과에 '영향을 미치기' 때문이다. 이것이 인간의 상상과 믿음이 지닌 파워다! 과학자들의 믿음이 실험 결과에 영향을 미치는 것과 마찬가지로 당신의 믿음이 당신 삶의 결과에 영향을 미친다.

당신의 믿음은 사실이든 그렇지 않든 당신의 세계를 만들어 낸다. 당신이 사실이라고 상상하고 '느끼는' 것이 당신 삶을 창조한다. 당신이 끌어당김의 법칙에 그것을 주었으며 그것이 당신에게 돌아오기 때문이다. 당신의 상상은 눈에 보이는 세계보다 훨씬 실재적이다. 눈에 보이는 세계는 당신이 상상하고 믿는 것에서 생기기 때문이다! 당신이 사실이라고 믿고 '느끼는' 것이 장차 당신의 삶이 될 것이다. 당신이 꿈꾸는 삶을 누릴 수 없다고 믿는다면 끌어당김의 법칙은 당신의 말대로 따를 것이고 그것이 당신의 현실 세계가 될 것이다.

"눈으로 볼 수 있고 손으로 만질 수 있는 것을 믿는 것은 결코 믿음이 아니다. 하지만 보이지 않는 것을 믿는 것은 승리이며 축복이다."

에이브러햄 링컨 (1809-1865)
미국 16대 대통령

인류 역사가 시작된 이래 한계에 대한 이야기가 세대에서 세대로 전해져 내려왔다. 하지만 이제 실제 이야기를 할 때가 되었다.

실제 이야기

당신은 무한한 존재다. 이것이 바로 실제 이야기다. 세계와 우주는 무한하다. 이것이 바로 실제 이야기다. 당신에게 보이지 않는 세계와 가능성들이 있지만 이 모든 것은 존재한다. 이제 다른 이야기를 시작해야 한다! 당신의 놀라운 삶에 대한 이야기를 시작해야 한다. 당신이 무슨 이야기를 하든, 좋은 이야기든 나쁜 이야기든, 끌어당김의 법칙은 반드시 이 이야기가 당신에게 오도록 할 것이며 이 이야기가 당신 삶의 이야기가 될 것이다.

원하는 것이 무엇이든 그것을 상상하고 '느껴라'. 그러면 삶에서 그 장면을 돌려받을 것이다. 줄 수 있는 만큼 많은 사랑을 주고, 느낄 수 있는 만큼 좋은 감정을 느껴라. 사랑의 힘은 당신이 좋아하는 사람, 당신이 좋아하는 상황, 당신이 좋아하는 일들로 온통 당신 주위를 둘러쌀 것이다. 당신이 무엇을 원하든 그렇게 될 수 있다. 당신이 무엇을 원하든 그 일을 할 수 있다. 당신이 무엇을 원하든 그것을 가질 수 있다.

당신이 좋아하는 것은 무엇인가? 당신이 원하는 것은 무엇인가?

당신 삶의 이야기에서 좋아하지 않는 것은 버리고 좋아하는 것을 그대로 간직하라. 과거에 있었던 부정적인 것에 매달려 있다면 그 기억을 떠올릴 때마다 그것들이 당신의 이야기 속으로 계속 들어오고 당신 삶의 장면 속으로 되돌아온다. 지금 바로!

어린 시절의 일 가운데 좋아하지 않는 것은 버리고 좋아하는 것을 간직하라. 청소년기와 성년기에서 당신이 좋아하지 않는 것은 버리고 좋아하는 것을 간직하라. 삶 전체에서 당신이 좋아하는 것을 그대로 간직하라. 과거의 모든 부정적인 것은 지나갔고, 끝났다. 당신은 그때 그 사람이 아니다. 그렇다면 그 일들이 당신에게 나쁜 감정을 불러일으키는데도 왜 계속 당신의 이야기 속으로 끌어들이는가? 과거의 당신에게서 부정적인 것을 파낼 필요가 없다. 절대로 그 일들을 더 이상 당신 이야기 속으로 끌어들이지 마라.

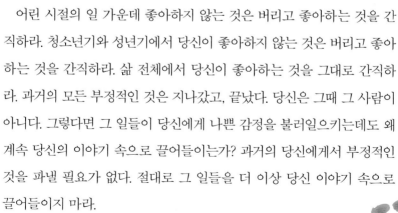

"전능하고 영원하고 불가해한 힘이 우리 모두가 앞으로 나아가도록 밀어 준다. 그러나 그렇게 밀려가면서도 많은 사람이 머뭇거리고 뒤돌아본다. 이들은 무의식적으로 이 힘에 맞서는 것이다."

프렌티스 멀포드 (1834-1891)
신사상 운동 저자

당신이 희생자가 되는 이야기를 계속 한다면 그 장면들이 삶에서 계속 재현될 것이다. 당신이 다른 사람들만큼 똑똑하지 않다거나 다른 사람들만큼 매력적이지 않다거나 다른 사람들만큼 재능이 많지 않다고 계속 이야기한다면 당신 말이 맞을 것이다. 그 말이 당신 삶의 장면이 되기 때문이다.

삶을 사랑으로 가득 채울 때 죄의식, 분노, 그 밖에 다른 모든 부정적 감정이 당신에게서 사라지는 걸 알게 될 것이다. 그러면 당신은 예전에 했던 가장 멋진 이야기를 하기 시작할 것이고 사랑의 힘은 당신의 놀라운 삶을 보여 주는 '실제' 이야기의 장면들로 당신 삶을 환하게 비출 것이다.

"사랑은 지구상에서 가장 위대한 힘이다. 사랑은 모든 것을 정복한다."

피스 필그림 (1908-1981)
본명 밀드레드 리셋 노먼, 평화운동가

파워의 핵심 포인트

- 좋아하는 것을 선택할 수 있도록 삶의 모든 것이 당신 앞에 제시된다!

- 누군가 당신이 원하는 것을 갖고 있다면 당신이 가진 것처럼 좋아하면서 흥분하라. 그것을 향한 사랑을 느낀다면 당신은 똑같은 것을 당신에게로 불러들이는 것이다.

- 원하는 것이 당신 앞에 보인다면 당신은 그것과 똑같은 주파수대에 있다!

- 삶의 카탈로그 안에는 좋아하지 않는 것들이 들어 있다. 그러므로 기분 나쁜 감정을 내보냄으로써 그것을 선택하는 결과가 되지 않도록 하라.

- 좋아하지 않는 것은 외면하고 그쪽에는 어떤 감정도 주지 마라. 대신 당신이 좋아하는 것이 보일 때 "네."라고 말하라.

- 끌어당김의 법칙은 당신의 감정에만 반응한다! 오로지 당신이 무엇을 주는지만이 중요하다. 끌어당김의 법칙은 당신의 법칙이다.

- 다른 사람을 판단하고 비판할 때 당신은 스스로를 그렇게 판단하고 비판하고 있다. 당신 아닌 사람이나 다른 어떤 것에 사랑과 감사를 보낼 때 당신은 자신에게 사랑과 감사를 보내고 있다.

- 뭔가가 부족한 게 사람들에게 보일 때 이는 그저 사랑이 부족한 것일 뿐이다.

- 당신은 현재 충분히 훌륭한 사람이다. 옳지 않은 일을 했다고 느낀다면 끌어당김의 법칙에서는 당신이 그것을 깨닫고 인정하는 것으로 잘못이 면죄된다.

- 당신의 믿음은 사실이든 그렇지 않든 당신의 세계를 만들어 낸다.

- 당신의 상상은 눈에 보이는 세계보다 훨씬 실재적이다. 눈에 보이는 세계는 당신이 상상하고 믿는 것에서 생기기 때문이다! 당신이 사실이라고 믿고 느끼는 것이 장차 당신의 삶이 될 것이다.

- 당신이 무슨 이야기를 하든, 좋은 이야기든 나쁜 이야기든, 그것이 당신 삶의 이야기가 될 것이다. 그러므로 당신의 놀라운 삶에 대한 이야기를 시작하라. 그러면 끌어당김의 법칙은 그 이야기가 반드시 당신 이야기가 되도록 할 것이다.

파워를 얻는 열쇠

"당신이 지닌 가장 소중하고 가치 있는 소유물과 당신이 지닌 가장 위대한 힘은 눈에 보이지 않으며 손으로 만질 수 없다. 어느 누구도 그것을 가져갈 수 없다. 당신, 오로지 당신만이 그것을 줄 수 있다. 당신이 주면 그에 대한 대가로 넘치도록 많은 것을 받을 것이다."

W. 클레멘트 스톤 (1902-2002)
작가이자 기업가

파워를 얻는 열쇠는 사랑의 힘을 이용하기 위한 가장 강력한 방법이며 당신이 원래 살아야 하는 삶을 돌려받기 위한 가장 강력한 방법이다. 이 열쇠들은 너무 간단하고 쉬워서 아이들도 따라 할 수 있다. 모든 열쇠 하나하나가 당신 안에 있는 무한한 파워를 열어 줄 것이다.

사랑의 열쇠

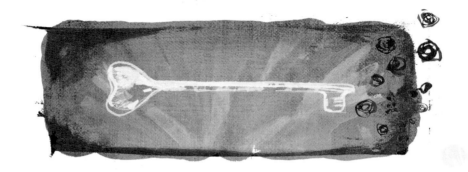

사랑을 삶의 궁극적인 파워로 이용하기 위해 당신은 전에 한 번도 사랑해 보지 않은 것처럼 사랑해야 한다. 삶과 사랑에 빠져라! 당신의 삶에서 아무리 많이 사랑했더라도 그 느낌을 두 배로 늘리고, 그 느낌을 열 배로 늘리고, 그 느낌을 백 배, 천 배, 백만 배로 늘려라. 당신이 느낄 수 있는 사랑의 수준이 그 정도이기 때문이다! 당신이 느낄 수 있는 사랑의 양에는 한계도 없고, 상한선도 없다. 당신 안에 모두 들어 있다! 당신은 사랑으로 이루어져 있다. 사랑이 바로 당신과 삶과 우주의 실체이며 본질이다. 당신은 전에 사랑했던 것보다 훨씬 더 많이, 당신이 상상했던 것보다 훨씬 더 많이 사랑할 수 있다.

삶과 사랑에 빠질 때 모든 한계가 사라진다. 돈과 건강과 행복의 한계를 깨뜨리고 인간관계에서 느끼는 기쁨의 한계를 넘어선다. 삶과 사랑에 빠질 때 당신은 어떠한 저항에도 부딪히지 않고, 당신이 무엇을 좋아하든 그것이 거의 즉시 당신 삶에 나타난다. 당신이 방으로 들어설 때 당신의 존재감이 느껴질 것이다. 기회가 당신 삶 속으로 쏟아져 들어올 것이며 당신이 가볍게 만지기만 해도 부정성이 녹아 없어질 것이다. 당신이 가능하리라고 생각했던 것 이상으로 기분이 좋아질 것이다. 당신은 무한한 에너지와 흥분, 삶을 향한 억누를 수 없는 열정으로 가득 찰 것이다. 마치 공중에 떠 있는 듯 깃털처럼 가볍게 느껴질 것이며, 당신이 좋아하는 모든 것이 당신 발아래 떨어지는 것처럼 느껴질 것이다. 삶과 사랑에 빠져라. 당신 안에 있는 파워를 폭발시켜라. 그러면 당신에게는 어떤 한계도 없을 것이며, 당신은 그 어떤 것에도 굴하지 않을 것이다!

"이 모든 시간이 지난 뒤에도 태양은 절대로 지구에게 '넌 내 은혜를 입고 있어.'라고 말하지 않는다. 그런 사랑을 지닐 때 무슨 일이 일어나는지 보라! 사랑은 하늘 전체를 밝게 비춘다."

하페즈 (1315-1390)
수피파 시인

그렇다면 삶과 어떻게 사랑에 빠질 것인가? 당신이 다른 누군가와 사랑에 빠지는 것과 똑같다. 당신은 그 사람에 관련된 '모든 것'에 감탄한다! 당신은 오로지 사랑만을 보고, 사랑만을 듣고, 사랑만을 말하고, 온 마음으로 사랑을 '느낌으로써' 누군가와 사랑에 빠진다! 바로 그렇게 당신은 사랑의 궁극적 힘을 이용하여 삶과 사랑에 빠진다.

당신이 무엇을 하든, 그날 어디에 있든, 당신이 좋아하는 것을 찾아라. 좋아하는 테크놀로지와 발명품을 찾을 수 있다. 좋아하는 건물을 찾아라. 좋아하는 차와 길을 찾아라. 마음에 드는 카페와 식당을 찾아라. 좋아하는 상점을 찾아라. 당신이 좋아하는 것을 최대한 많이 찾겠다는 마음가짐으로 길을 걷고 상점 안을 돌아다녀라. 다른 사람에게서 당신이 좋아하는 점을 찾아라. 새, 나무, 꽃, 향기, 자연의 색깔 등 자연 속에서 당신이 좋아하는 것을 모두 찾아라. 당신이 좋아하는 것을 보라. 당신이 좋아하는 것을 들어라. 당신이 좋아하는 것을 말하라.

"맡은 일이 무엇이든 이제껏 한 번도 실패한 적이 없는 힘이 당신 곁에서 작용하고 있다는 것을 알고 있으므로 당신은 그 힘이 당신의 경우에도 실패하지 않을 거라는 자신감을 갖고 앞으로 나아갈 수 있다."

로버트 콜리어 (1885-1950)
신사상 운동 저자

좋아하는 것에 대해 생각하라. 좋아하는 것에 대해 이야기하라. 하고 싶은 것을 하라. 이렇게 할 때마다 사랑을 '느끼기' 때문이다.

가정, 가족, 배우자, 아이에 대해서 당신이 좋아하는 점을 이야기하라. 친구에 대해서 당신이 좋아하는 점을 이야기하라. 이 점을 그들에게 말해 주라. 당신이 만지고, 냄새 맡고, 맛보는 것에 대해 좋아하는 점을 이야기하라.

좋아하는 것을 찾아내고 그것을 느낌으로써 매일매일 끌어당김의 법칙에게 당신이 좋아하는 것을 말하라. 좋아하는 것을 느낌으로써 하루 동안 얼마나 많은 사랑을 줄 수 있는지에 대해 생각하라. 길을 걸어갈 때 다른 사람들에게서 좋은 점을 찾아라. 상점 안을 구경할 때 마음에 드는 것을 찾아라. "난 저 옷이 좋아." "저 구두가 좋아." "저 사람의 눈 색깔이 좋아." "저 사람의 머리카락이 좋아." "저 사람의 미소가 좋아." "저 화장품이 좋아." "저 냄새가 좋아." "이 가게가 좋아." "저 탁자, 램프, 소파, 러그, 음향기기, 코트, 장갑, 넥타이, 모자, 보석이 좋아." "여름 향기가 좋아." "가을 나무가 좋아." "봄에 핀 꽃이 좋아." "저 색깔이 좋아." "이 거리가 좋아." "이 도시가 좋아." 이렇게 말하라.

어떤 상황, 어떤 일, 어떤 환경에 놓였을 때 당신이 좋아하는 것을 찾고 그것을 '느껴라'. "나는 이런 전화를 받는 게 좋아." "이런 이메일을 받는 게 좋아." "이런 좋은 소식을 듣는 게 좋아." "이 노래가 좋아." "사람들이 행복해하는 모습을 보는 게 좋아." "다른 사람들이 웃는 게 좋아." "음악을 들으면서 운전해서 출근하는 게 좋아." "기차나 버스에서 마음 편히 쉴 수 있는 게 좋아." "우리 도시에서 열리는 축제들이 좋아." "축하행사가 좋아." "사는 게 좋아." 당신 마음을 가볍게 해 주는 모든 주제에 대해 좋아하는 것을 찾아 당신이 느낄 수 있는 가장 깊은 사랑을 느껴라.

기분이 좋지 않아서 감정 상태를 바꾸고 싶다면, 또는 좋은 감정을 더 고양시키고 싶다면 1~2분 정도 시간을 내어, 당신이 좋아하고 감탄하는 것을 모두 적어 놓은 마음속 목록을 훑어보라. 아침에 옷을 입으면서도 마음속으로 이 일을 할 수 있고, 길을 걸으면서, 운전을 하면서, 어딘가로 가면서 마음속으로 이 일을 할 수 있다. 이것은 너무도 간단한 일이지만 당신 삶에 나타나는 효과는 실로 놀랍다.

좋아하는 모든 것을 글로 적어 목록을 만들어라. 처음에는 매달, 그런 다음에는 적어도 세 달에 한 번씩 하기를 권한다. 좋아하는 장소, 도시, 국가, 좋아하는 사람, 좋아하는 색깔, 좋아하는 스타일, 좋아하는 다른 사람의 장점, 좋아하는 모임, 좋아하는 서비스, 좋아하는 스포츠, 좋아하는 운동선수, 좋아하는 음악, 좋아하는 동물, 좋아하는 꽃, 식물, 나무를 목록에 적어라. 좋아하는 갖가지 옷, 집, 가구, 책, 잡지, 신문, 자동차, 전자제품에서부터 좋아하는 여러 가지 음식에 이르기까지 당신이 좋아하는 물질적인 것들을 모두 열거하라. 춤, 운동, 미술관 관람, 콘서트, 파티, 쇼핑 등 하고 싶은 일을 생각하여 목록으로 만들어라. 좋아하는 영화, 휴가, 좋아하는 식당을 목록으로 만들어라.

> "사랑의 영역 속에 완전히 들어가 보면 세상이 아무리 불완전하더라도 풍요로워지고 아름다워진다. 세상은 오로지 사랑을 위한 기회로 이루어져 있다."

쇠렌 아뷔 키르케고르 (1813-1855)
철학자

매일매일 가능한 한 많이 사랑하는 것이 당신의 일이다. 오늘 당신이 사랑하고 감탄할 수 있는 모든 것을 사랑하고 감탄하며, 당신이 좋아하는 것을 찾고 느끼며 좋아하지 않는 것을 외면하라. 그럴 수 있다면 당신의 내일은 당신이 원하고 사랑하는 모든 것에 대한 더할 나위 없는 행복감으로 넘칠 것이다.

> "사랑은 행복의 문을 여는 마스터키다."

올리버 웬델 홈스 (1809-1894)
하버드 의과대학 학장

사랑은 촉각을 세우는 것

주변에 있는 모든 것에 사랑을 느끼기 위해서는 촉각을 세워야 한다. 당신 주변에서 사랑할 만한 것을 모두 알아채야 하며 그렇지 않으면 놓치고 만다. 당신이 좋아하는 것이 눈에 보이도록 촉각을 세워야 한다. 당신이 좋아하는 소리가 들리도록 촉각을 세워야 한다. 꽃 옆을 지나갈 때 꽃의 향기로운 냄새를 맡을 수 있도록 촉각을 세워야 한다. 당신이 먹고 있는 음식의 맛을 보고 가득한 풍미를 느낄 수 있도록 촉각을 세워야 한다. 당신 머릿속에서 맴도는 생각의 소리를 들으면서 길을 가고 있다면 당신이 좋아하는 것을 모두 놓쳐 버린다. 그런데 사람들은 많은 시간 동안 이렇게 지낸다. 머릿속에 맴도는 생각의 소리를 들음으로써 스스로 최면을 건다. 그리하여 일종의 최면 상태에 빠져 주변에 있는 것들을 알아차리지 못한다.

길을 걸어갈 때 친한 친구가 당신 이름을 큰 소리로 불렀는데도 당신은 그때까지 그 친구를 보지 못해서 놀란 적 없는가? 아니면 당신이 친구를 발견하고 두 번이나 큰 소리로 이름을 불렀는데도 상대방이 당신을 보고 화들짝 놀란 일이 없는가? 상대방은 자신이 거리에 있다는 것을 의식하지 못한 채 최면 상태에 빠져 자기 머릿속에서 맴도는 생각의 소리를 듣고 있었기 때문에 당신이 이름을 부르는 소리에 갑자기 정신을 차린 것이다. 자동차 운전을 하다가 문득 주위를 돌아보면서 목적지에 거의 다 왔다는 걸 깨닫지만 당신이 언제 그렇게 먼 거리를 왔는지 전혀 기억이 나지 않았던 적은 없는가? 당신은 생각의 소리를 들으면서 스스로에게 최면을 걸었고 최면 상태에 빠져 있었던 것이다.

한 가지 좋은 소식이 있다. 사랑을 많이 줄수록 더 민감하게 촉각을 세우고 알아차리게 된다는 사실이다! 사랑은 완벽하게 촉각을 세우는 상태를 불러온다. 당신이 좋아하는 것을 매일매일 최대한 많이 알아차리기 위해 세심한 노력을 기울이는 동안 당신은 더 많이 알아차리고 더 민감하게 촉각을 세울 것이다.

사랑에 마음을 계속 집중하는 법

"마음이 맑다는 것은 열정이 맑다는 의미이기도 하다. 그렇기 때문에 위대하고 맑은 마음은 뜨겁게 사랑하며, 무엇을 사랑하는지 또렷하게 안다."

블레즈 파스칼 (1623-1662)
수학자이자 철학자

계속 촉각을 세운 채로 지내려면 다음과 같은 질문으로 당신 마음을 조종하면 된다. "내가 좋아할 만한 것을 볼 수 있을까?" "내가 좋아할 만한 것을 얼마나 많이 볼 수 있을까?" "내가 좋아할 만한 다른 어떤 것을 볼 수 있을까?" "내 마음을 설레게 할 만한 것을 볼 수 있을까?" "나를 흥분시킬 만한 것을 볼 수 있을까?" "내 열정을 불태울 만한 것을 볼 수 있을까?" "내가 좋아할 만한 것을 더 많이 볼 수 있을까?" "내가 좋아할 만한 것을 들을 수 있을까?" 당신의 마음에 이런 물음들을 던질 때 마음은 어쩔 수 없이 대답을 내놓기 위해 금세 바빠질 것이다. 당신 마음은 질문에 대한 대답을 생각해 내려고 즉시 다른 생각을 멈출 것이다.

비밀은 당신 마음에 계속 규칙적으로 질문을 던지는 데 있다. 더 많은 질문을 던질수록 당신 마음을 더욱 잘 다스릴 수 있다. 그러면 마음은 당신과 반대로 움직이지 않고 당신과 함께 움직이면서 당신이 마음에게 바라는 대로 할 것이다.

마음을 다스리지 못하는 경우 때로 마음은 기관사 없는 화물 열차처럼 산 아래로 마구 치달을 수도 있다. 당신은 당신 마음의 기관사다. 그러므로 마음을 책임져야 한다. 마음이 어디로 가기를 바라는지 마음에 이야기함으로써 마음이 계속 당신 지시사항을 따르느라 바쁘게 만들어야 한다. 당신이 마음에게 무엇을 해야 하는지 말하지 않는다면 마음은 저절로 굴러갈 뿐이다.

"마음은 자기 마음을 다스리지 않는 자에게 적과 같이 행동한다."

바가바드 기타 (기원전 5세기)
고대 힌두교 경전

마음은 당신이 이용할 수 있는 강력하고 멋진 도구이지만 먼저 당신이 마음을 다스려야 한다. 통제되지 않은 딴생각들로 어수선한 채 마음이 제멋대로 굴러가게 놔두기보다는 당신이 사랑을 줄 수 있도록 마음의 도움을 받기를 원한다. 사랑에 마음을 집중하도록 훈련하는 데는 오랜 시간이 걸리지 않는다. 일단 해 본 뒤 당신 삶에 무슨 일이 벌어지는지 그냥 지켜보라!

감사의 열쇠

"감사하는 마음 없이는 많은 파워를 발휘할 수 없다. 당신이 지속적으로 파워와 연결된 상태로 살 수 있게 해 주는 것은 감사하는 마음이기 때문이다."

월레스 와틀스 (1860-1911)
신사상 운동 저자

나는 상상할 수 있는 최악의 상황에 처했다가 감사하는 마음으로 자기 삶을 완전히 바꾼 수천 명의 이야기를 알고 있다. 전혀 희망이 없어 보였던 상태에서 건강의 기적을 이룬 많은 이야기를 알고 있다. 망가진 신장이 되살아나고, 병든 심장이 낫고, 시력을 되찾고, 암이 사라지고,

뼈가 자라 재생되는 이야기를 알고 있다. 감사하는 마음을 통해 깨진 관계가 멋진 관계로 바뀐 이야기를 알고 있다. 실패한 결혼 생활이 완벽하게 회복되고, 멀어졌던 가족 구성원들이 다시 합치고, 부모가 아이나 십대 자녀와의 관계를 변화시키고, 교사가 학생을 변화시킨 이야기를 알고 있다. 나는 완전한 무일푼의 빈곤 상태에 있다가 감사하는 마음으로 부자가 된 사람들을 보았다. 쓰러져 가는 사업을 다시 일으킨 사람들도 있었고, 평생 돈에 허덕이다가 많은 돈을 번 사람도 있었다. 심지어는 노숙자 생활을 하다가 일주일 만에 일자리를 얻고 가정을 꾸린 사람도 있었다. 나는 우울증에 빠져 있다가 감사하는 마음을 통해 순식간에 즐겁고 성취하는 삶을 살게 된 사람의 이야기를 알고 있다. 불안과 온갖 종류의 정신질환으로 시달리던 사람이 감사하는 마음을 통해 정신 건강을 완전하게 회복하기도 했다.

세상의 모든 구세주들은 감사하는 마음에 대해 말한다. 감사하는 마음이야말로 사랑의 가장 고귀한 표현이라는 것을 모두 알고 있기 때문이다. 그들은 감사하는 마음을 가질 때 법칙과 완벽하게 조화를 이루면서 살 수 있다는 것을 알고 있었다. 예수가 모든 기적을 행할 때마다 '감사합니다'라고 말한 이유가 무엇이라고 생각하는가?

감사하는 마음을 느낄 '때마다' 당신은 사랑을 '주며', 당신이 준 대로 받는다. 누군가에게 감사의 인사를 전하든, 자동차, 휴가, 석양, 선물, 새

집, 신 나는 일에 대해 고마움을 느끼든, 당신은 그런 대상을 향해 사랑을 주고 있으며, 더 많은 기쁨, 더 많은 건강, 더 많은 돈, 더 많은 놀라운 경험, 더 많은 멋진 인간관계, 더 많은 기회를 돌려받는다.

지금 바로 해 보라. 당신이 고맙게 여기는 것이나 사람을 생각하라. 세상의 다른 누구보다 사랑하는 사람을 선택할 수도 있다. 그 사람에게 마음을 모으고 그 사람에게서 당신이 좋아하는 점과 고마워하는 점을 생각하라. 그런 다음 마음속으로든 큰 소리를 내든 당신이 그에게서 사랑하는 모든 것, 고마워하는 모든 것을 그가 곁에 있는 것처럼 말하라. 당신이 그를 사랑하는 이유를 모두 그에게 말하라. "그때 일 기억해……"라고 말하면서 특정 상황이나 순간을 떠올릴 수도 있다. 그렇게 하는 동안 감사하는 마음이 당신 마음과 몸에 가득 차오르는 걸 느껴라.

이 간단한 연습을 통해 당신이 주었던 사랑은 인간관계에서, 삶 전체에서 반드시 당신에게 돌아올 것이다. 이렇게 감사하는 마음을 통해 쉽게 사랑을 줄 수 있다.

알베르트 아인슈타인은 이제껏 살았던 가장 위대한 과학자 중 한 사람으로 꼽힌다. 그의 발견 덕분에 우주를 보는 방식이 완전히 바뀌었다. 그의 기념비적 업적에 대해 질문을 받았을 때 아인슈타인은 다른 사람에게 고마움을 전하는 말만 했다. 이제껏 살았던 인류 중 가장 똑똑한 사람이 다른 사람들에게 감사하며 그들이 자신에게 주었던 것들을 고마워했다. 그것도 하루에 백 번씩! 이 말은 아인슈타인이 적어도 하루에 백 번씩 사랑을 주었다는 의미다. 삶이 알베르트 아인슈타인에게 그토록 많은 신비를 보여 주었다는 것이 놀랍지 않은가?

> "나는 내 안에서 이루어지는 삶과 밖에서 이루어지는 삶이 죽은 사람이든 살아 있는 사람이든 다른 사람들의 노고에 의존하고 있다는 사실을 매일 하루에 백 번씩 스스로에게 일깨운다. 또한 내가 받은 만큼, 그리고 지금도 받고 있는 만큼 주기 위해서 열심히 노력해야 한다고 매일 하루에 백 번씩 스스로에게 일깨운다."

알베르트 아인슈타인 (1879-1955)
노벨상 수상 물리학자

감사하는 마음은 커다란 증폭기이다

아무리 작은 것일지라도 당신이 가진 것에 대해 고마워할 때 당신은 그런 것을 더 많이 받을 것이다. 아무리 적을지라도 당신이 가진 돈에 대해 고마워할 때 당신은 더 많은 돈을 받을 것이다. 비록 완벽하지 않더라도 어떤 관계에 대해 고마워할 때 그 관계는 더 좋아질 것이다. 비록 꿈꾸던 직장이 아닐지라도 당신이 다니는 직장에 대해 고마워할 때 직장에서 더 좋은 기회를 받을 것이다. 감사하는 마음은 삶의 커다란 증폭기이기 때문이다!

　　"당신이 평생 동안 '감사합니다.'라는 오직 한 마디 기도만 하더라도 그것으로 충분하다."

마이스터 에크하르트 (1260-1328)
그리스도교 작가이자 신학자

　　감사하는 마음은 '고맙습니다'라는 간단한 단어로 시작되지만 당신은 온 마음으로 고마움을 느껴야 한다. '고맙습니다'라는 말을 더 많이 할수록, 고마움을 더 많이 느낄 것이고 더 많은 사랑을 주게 된다. 당신 삶에서 감사하는 마음이 지닌 파워를 이용하는 세 가지 방법이 있는데 이세 가지 모두 사랑을 주는 것이다.

　　1. 당신이 살아오면서 받은 모든 것에 고마워하라(과거).
　　2. 당신이 살면서 받고 있는 모든 것에 고마워하라(현재).
　　3. 당신이 삶에서 원하는 것을 이미 받은 것처럼 고마워하라(미래).

당신이 받은 것과 현재 받고 있는 것에 고마워하지 않는다면 당신은 사랑을 주지 못하고 현재 상황을 바꿀 파워를 갖지 못한다. 당신이 받은 것, 그리고 지금도 계속 받고 있는 것에 감사하는 마음을 주면 그것은 '더 크게 늘어난다'. 그와 동시에 감사하는 마음이 당신이 원하는 것을 가져다준다! 당신이 삶에서 원하는 것을 받은 것처럼 고마워하라. 그러면 끌어당김의 법칙은 당신이 그것을 '반드시' 받는다고 말한다.

감사하는 마음을 느끼는 아주 간단한 일만으로 당신이 좋아하는 모든 것이 몇 배씩 늘어나고 삶이 완전히 바뀔 수 있다는 게 상상이 되는가?

마음에 들지 않는 직장에서 일하면서 외롭고 우울하게 살던 이혼한 남자가 매일 사랑과 감사의 마음을 실천하여 삶을 바꿔야겠다고 마음먹었다. 그는 그날 하루 동안 이야기를 나누는 모든 사람에게 긍정적으로 대하는 것부터 시작했다. 오랜 친구와 가족에게 전화를 걸어 아주 행복하고 긍정적인 모습을 보임으로써 그들에게 놀라움을 안겨 주었다. 그는 수도꼭지에서 물이 나오는 것에 고마워할 정도로 자신이 누리는 모든 것에 고마워하기 시작했다. 이런 삶이 120일 동안 계속되었다. 그가 직장에 대해 싫어했던 것이 모두 기적처럼 바뀌었고 이제는 자기 일을 사랑하게 되었다. 심지어 일 덕분에 그가 늘 보고 싶어 했던 곳에도 가게 되었다. 모든 가족 구성원과도 이제껏 한 번도 누려 보지 못한 아주 좋은 관계를 갖게 되었다. 자동차 할부금을 모두 갚았고 돈도 항상 필요한 만큼 있었다. 그는 무슨 일이 벌어지든 늘 좋은 나날을 보냈다. 재혼도 했다. 게다가 상대는 그가 고등학교 때부터 좋아했던 첫사랑이었다!

> "당신이 받은 풍요로운 삶에 대해 감사하는 마음은 그런 풍요로운 삶이 지속되도록 해 주는 최고의 보험이다."

무함마드 (570-632)
이슬람교 창시자

감사하는 마음을 조금 이용하면 당신의 삶은 조금 바뀔 것이다. 감사하는 마음을 매일 많이 이용하면 당신의 삶은 지금의 당신이 상상할 수 없을 정도로 바뀔 것이다. 감사하는 마음은 당신 삶의 모든 것을 몇 배로 늘릴 뿐 아니라 부정적인 것을 제거해 주기도 한다. 당신이 아무리 부정적인 상황에 처해 있어도 고마워할 만한 일은 '언제나' 찾을 수 있으며, 그러는 동안 당신은 부정성을 제거할 사랑의 힘을 이용한다.

감사하는 마음은 사랑으로 이어 주는 다리다

"차분하게 찾을 마음의 준비만 된다면 우리는 어떤 실망 속에서도
보상을 찾을 것이다."

헨리 데이비드 소로 (1817-1862)
초월주의 작가

감사하는 마음은 우리 어머니를 가장 깊은 슬픔에서 끌어내어 행복
으로 이끌었다. 우리 어머니와 아버지는 그야말로 한눈에 서로 사랑에

빠졌으며 내가 지금까지 본 가장 아름다운 사랑과 결혼 생활을 했다. 아버지가 죽었을 때 어머니는 이루 말할 수 없는 슬픔에 빠졌다. 아버지가 너무도 그리웠기 때문이다. 그러나 슬픔과 고통 한가운데서 어머니는 감사할 일을 찾기 시작했다. 수십 년에 걸쳐 아버지와 함께 사랑과 행복을 나누는 과정에서 받았던 모든 것을 고마워했고 나아가 앞으로 고마워할 일을 찾았다. 어머니가 맨 처음 고마움을 느낀 일은 이제 여행을 할 수 있다는 사실이었다. 어머니는 늘 여행을 하고 싶었지만 아버지가 살아 계실 때에는 그러지 못했다. 아버지는 여행을 좋아하지 않았기 때문이다. 어머니는 꿈을 이루었다. 여행을 했고 어머니가 늘 하고 싶던 다른 많은 일도 했다. 감사하는 마음은 어머니를 한없는 슬픔에서 꺼내어 행복한 새 삶을 살도록 이끌어 준 다리였다.

감사하는 마음을 느낄 때에는 슬픔이나 그 밖의 부정적 감정을 느낄 수 없다. 힘든 상황 한가운데 있다면 고마운 일을 찾아라. 한 가지를 찾으면 또 다른 것을 찾고, 그런 다음 또 다른 것을 찾아라. 당신이 찾아낸 고마운 일 한 가지 한 가지가 모두 상황을 바꾸기 때문이다. 감사하는 마음은 당신이 부정적 감정에서 벗어나서 사랑의 힘을 이용하도록 이어 주는 다리다!

"감사하는 마음은 백신이며, 해독제이며, 소독제다."

존 헨리 조윗 (1864-1923)
장로교 목사이자 저자

그날 하루 좋은 일이 일어나면 고마워하라. 그 일이 아무리 작은 것이라도 상관없다. '감사하다'고 말하라. 딱 알맞은 주차 공간이 있을 때, 라디오에서 좋아하는 노래를 들을 때, 신호등이 초록색으로 바뀔 때, 버스나 기차에 빈자리가 있을 때 '감사하다'고 말하라. 이런 것들은 모두 삶이 당신에게 준 좋은 일들이다

당신의 감각에 고마워하라. 볼 수 있는 눈, 들을 수 있는 귀, 맛볼 수 있는 입, 냄새를 맡을 수 있는 코, 촉감을 전하는 살갗에 고마워하라. 걸을 수 있는 다리, 거의 모든 일에 사용되는 손, 당신을 표현하고 다른 사람과 의사소통을 할 수 있게 해 주는 목소리에 고마워하라. 당신이 늘 건강하게 지내고 병을 나을 수 있게 해 주는 놀라운 면역체계, 당신이 살아갈 수 있도록 신체를 아무 문제없이 유지시켜 주는 모든 기관에 고마워하라. 이 세상의 어떤 컴퓨터 기술도 모방할 수 없는 인간 정신의 위대함에 고마워하라. 당신의 온몸은 지구상에서 가장 위대한 실험실이다. 이 위대함을 비슷하게라도 따라 할 수 있는 것은 아무것도 없다. 당신은 기적이다!

당신의 가정, 가족, 친구, 일, 애완동물에 고마워하라. 태양, 당신이 마시는 물, 당신이 먹는 음식, 숨 쉬는 공기에 고마워하라. 이 중 어느 것 하나라도 없으면 당신은 살아 있을 수 없다.

나무, 동물, 바다, 새, 꽃, 식물, 파란 하늘, 비, 별, 달, 우리 아름다운 지구에 고마워하라.

당신이 매일 이용하는 운송수단에 고마워하라. 당신이 안락한 생활을 누릴 수 있도록 필요한 서비스를 제공하는 모든 회사에 고마워하라. 수도꼭지를 틀면 깨끗한 물이 나오도록 하기 위해서 아주 많은 사람들이 땀 흘리고 수고했다. 스위치를 켜면 전기가 흐르도록 하기 위해서 아주 많은 사람들이 평생에 걸친 작업을 해 왔다. 지구 전체에 철로를 놓기 위해 한 해가 가고 또 가도록 매일 뼈 빠지게 일한 인류의 위대함에 대해 생각하라. 도로를 만드느라 힘든 작업을 하며 전 세계를 하나의 생활 망으로 연결시킨 사람의 수를 상상하기도 힘들 정도다.

"우리는 주는 것 이상으로 많은 것을 받고 있으며 감사하는 마음을 느낄 때에만 삶이 풍부해진다는 것을 일상생활에서 거의 깨닫지 못한다."

디트리히 본회퍼 (1906-1945)
루터교 목사

감사하는 마음이 지닌 파워를 이용하려면 감사하는 마음을 늘 실천하라. 감사하는 마음을 더 많이 '느낄수록' 당신은 더 많은 사랑을 '주고', 당신이 더 많은 사랑을 줄수록 당신은 더 많이 '받는다'.

건강할 때 당신의 건강에 감사하는가? 아니면 병들거나 다쳤을 때에야 겨우 당신의 건강에 주목하는가?

밤새 편안한 잠을 잤을 때 감사하는가? 아니면 그런 밤을 당연한 것으로 여기고, 편안한 잠을 자지 못했을 때에야 잠자는 일에 대해 생각하는가?

모든 것이 좋을 때 당신이 사랑하는 사람에게 감사하는가? 아니면 문제가 있을 때에야 비로소 관계에 대해 말하는가?

전자제품을 이용하거나 스위치를 켤 때 전기에 감사하는가? 아니면 정전이 되었을 때에야 비로소 전기에 대해 생각하는가?

매일매일 살아 있는 것에 감사하는가?

잠깐씩 남는 1초의 시간이 감사할 수 있는 기회이며 당신이 좋아하는 것을 몇 배로 늘릴 수 있는 기회다. 나는 내 자신이 고마워하는 사람인 줄 알았지만 감사하는 마음을 실천하고 나서야 진정 감사하는 마음이 무엇인지 깨달았다.

나는 운전할 때나 걸어갈 때 짧은 시간을 이용하여 삶의 모든 것에 고마워한다. 부엌에서 침실까지 걸어가면서도 고마워한다. 온 마음을 다하여 이렇게 말한다. "내 삶에 감사드린다. 조화로움에 대해 감사드린다. 기쁨에 대해 감사드린다. 내 건강에 감사드린다. 재미있고 신 나는 일에 대해 감사드린다. 멋진 삶에 감사드린다. 내 삶의 모든 멋진 것, 좋은 것에 감사드린다."

감사하라! 감사하는 마음은 그 어떤 노력이나 희생도 필요로 하지 않지만 이 세상의 그 어떤 풍부한 것보다도 가치 있다. 감사하는 마음은 삶의 모든 풍요로움으로 당신을 풍부하게 한다. 당신이 어떤 것에 감사하든 그것은 배로 늘어나기 때문이다!

놀이의 열쇠

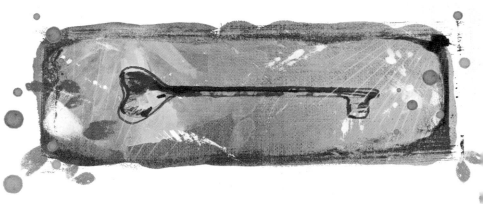

삶의 어떤 주제에 대해서든 기분 좋게 느끼는 확실한 방법이 있다. 상

상을 통해 놀이를 창조하고 즐기는 방법이다. 놀이는 재미다. 그러므로 즐겁게 놀 때 정말 기분이 좋다.

우리는 어른이 되면서 점차 삶을 심각하게 생각하는 모습을 보이고, 언제부턴가 더 이상 어린 시절에 그랬던 것처럼 즐겁고 재미있게 놀지 않는다. 그러나 심각한 태도는 당신의 삶에 심각한 상황을 불러온다. 당신이 놀면서 재미있게 지낼 때 정말 기분 좋은 느낌이 들고, "저것 좀 봐." 하는 식으로 정말 좋은 상황이 당신 삶에 찾아온다.

삶은 원래 재미있다. 끌어당김의 법칙과 함께 놀고, 당신의 상상으로 게임을 만들라. 끌어당김의 법칙은 당신이 상상 속에서 노는 건지, 아니면 현실인지를 알지 못하거나 상관하지 않는다. 당신이 상상하면서 느끼는 동안 무엇을 주든지 그것이 현실이 될 것이다!

놀이 방법

"어린아이들을 통해서 사랑의 법칙을 가장 잘 이해할 수 있으며 배울 수 있다."

마하트마 간디 (1869-1948)
인도의 정치 지도자

어떻게 놀 것인가? 어린아이였을 때 했던 것처럼 상상을 이용하여 가상 게임을 만든다.

당신이 자전거 선수라고 상상해 보자. 당신은 세계 최고의 자전거 선수가 되어 투르 드 프랑스(매년 7월 프랑스에서 개최되는 프랑스 일주 사이클 대회-옮긴이)에서 이기고 싶다. 훈련은 잘 진행되고 있으며 당신의 꿈을 목표로 삼고 있다. 그러나 병에 걸려 생존 확률이 40퍼센트라는 진단을 받는다. 당신은 치료를 받는 동안 상상을 펼치면서 투르 드 프랑스에서 자전거를 타고 이 경기가 당신 생애에 오래 기억될 경기가 될 거라고 생각한다. 당신은 의료진이 체크포인트(경주에 참가한 차나 자전거의 주행을 점검, 확인하기 위하여 경주 코스 중간에 마련하여 놓은 지점-옮긴이)마다 당신에게 피드백을 주는 훈련 팀이라고 상상한다. 당신은 매일 타임 트라이얼(출발에 시차를 두고 개인별로 시간을 측정하는 경주-옮긴이)에서 경주를 하며 시간 기록이 점점 더 좋아진다고 상상한다! 당신은 의료 팀과 함께 경주에서 승리하고 병을 이긴다.

1년 뒤 당신은 건강을 회복하고 투르 드 프랑스에서 승리한다. 또한 투르 드 프랑스에서 연속 7연승을 거두면서 역사상 전무후무한 기록을 세운다! 이는 실제로 랜스 암스트롱에게 일어난 일이다. 그는 가장 힘든 상황을 버팀목으로 삼아 상상 게임을 만들어 냈고 꿈을 실현했다.

가령 당신은 세계에서 가장 좋은 체격을 갖고 싶어 하며 미국에서 유명한 배우가 되기를 원할 수도 있다. 유럽의 작은 마을에 살고 있는 당신은 경제적으로 어려운 집안 출신이지만 그런데도 여전히 그런 꿈을 상상한다. 당신은 영웅의 사진을 이용하여 몸매를 다듬으며, 가장 좋은 체격으로 뽑혀 유럽 선수권을 따는 것을 상상한다. 당신은 일곱 차례에 걸쳐 선수권을 딴다. 그러나 아무도 당신이 배우감이라고 믿지 않으며, 왜 당신이 꿈을 이룰 수 없는지 갖가지 이유를 댄다. 그러나 당신은 유명한 배우가 되는 것을 상상해 왔다. 성공을 느낄 수 있으며, 성공을 맛볼 수 있고, 성공이 이루어질 거라고 믿는다. 이것은 아널드 슈워제네거가 미스터 올림피아에서 일곱 번 승리한 다음 할리우드에서 가장 유명한 배우 중 한 명이 되기까지의 과정이다.

위대한 발명가가 되고 싶다고 상상하라. 어린 시절 당신의 정신은 극한의 시련을 겪었으며, 환각과 눈부실 정도로 번쩍번쩍 하는 빛에 시달렸다. 대학을 마치지 못했고 신경쇠약으로 직장을 그만두어야 했다. 극심한 환각에서 벗어나 휴식을 얻기 위해 당신은 상상 속 세계를 창조함으로써 정신을 통제한다. 더 밝은 미래에 대한 아이디어에 고무된 당신은 상상력을 새로운 발명에 쏟는다. 상상 속에서 발명품을 완성시킨다. 스케치조차 그리지 않은 상태에서 구조를 변경하고, 몇 가지 개선 작업을 하며, 심지어는 장치를 작동시키기도 한다. 아이디어를 실제 장치로 만들기 전에 머릿속에 실험실을 만들고 상상력을 동원하여 새로운 발명품의 마모 정도를 확인한다. 이렇게 하여 니콜라 테슬라는 위대한 발명가가 되었다. 교류 모터, 라디오, 앰프, 무선통신, 형광등, 레이저 광선, 원격 조종 장치, 이 밖에 300개가 넘는 특허 발명품들이 모두 이와 똑같은 방식으로, 즉 상상의 힘을 통해 개발되었다.

> "논리를 따라가면 당신은 A에서 B로 넘어간다. 그러나 상상력은 당신을
> 어디로든 데려갈 것이다."
>
> 알베르트 아인슈타인 (1879-1955)
> 노벨상 수상 물리학자

당신이 원하는 게 무엇이든 상상력을 이용하고, 게임을 만들고, 놀이를 하라. 당신에게 도움이 된다고 생각되는 모든 도구를 이용하라. 몸무게를 줄이거나 멋진 몸매를 갖고 싶다면 당신이 지금 그런 몸매를 가진 것처럼 느끼도록 놀이를 만들라. 멋진 몸매 사진을 당신 주변에 온통 붙이라. 비법은 다음과 같다. 당신은 그런 몸매가 '당신 것'이라고 상상해야 한다! 당신이 다른 누군가의 몸매를 보는 것이 아니라 '당신' 몸매를 보고 있다고 상상하며 느껴야 한다.

당신이 뚱뚱한 사람이거나 또는 너무 마른 사람인 경우 지금 당장 완벽한 몸을 갖는다면 어떤 느낌이 들까? 지금 느끼는 기분과는 다를 것

이다. 당신의 모든 것이 달라질 것이다. 당신은 다르게 걷고, 다르게 말하며, 다르게 일할 것이다. 지금 그렇게 걸어라! 지금 그렇게 말하라! 지금 그런 몸을 가진 것처럼 행동하라! 당신이 원하는 것이 무엇인지는 상관 없다. 지금 그것을 누린다면 어떤 느낌일지 상상하라. 당신의 상상 속에서 지금 똑같이 행동하라. 느낌으로 무엇을 상상하든 당신은 그것을 끌어당김의 법칙에 주고 있으며 반드시 준 대로 받는다.

랜스 암스트롱, 아널드 슈워제네거, 니콜라 테슬라, 이들은 모두 상상과 함께 놀면서 온 마음으로 자신의 꿈을 느꼈다. 이들의 상상은 이들에게 너무도 진짜 같았다. 이들은 자신의 꿈을 '느낄' 수 있었으며 꿈이 이루어질 거라는 걸 알았다. 당신의 꿈이 얼마나 멀게 보이는지는 중요하지 않다. 당신의 꿈은 당신 삶의 그 어떤 것보다 가까이에 있다. 당신이 꿈꾸는 것을 당신에게 가져다주는 모든 파워가 당신 안에 있기 때문이다!

"믿는 자에게는 능히 하지 못할 일이 없느니라."

예수 (기원전 5년경-기원후 30년경)
그리스도교 창시자, 「마가복음」 9장 23절

미래에는 상상력이 지닌 파워에 대해 더욱 많은 사실이 발견될 것이다. 이미 여러 과학자들에 의해 발견된 특별한 거울 세포가 있는데, 우리가 어떤 일을 하고 있다고 상상할 때 이 거울 세포는 실제 행동을 할 때와 똑같은 두뇌 영역을 활성화시킨다. 다시 말해서 경험하고 싶은 것을 놀이 속에서 상상하기만 해도 두뇌는 그것이 실제 일인 것처럼 즉시 반응한다는 것이다.

과거에 있었던 일이나 미래의 일에 대해 말할 때 당신은 그 일을 상상하며, 그 일을 느끼고, 그 일과 같은 주파수대에 있다. 그러는 동안 끌어당김의 법칙은 그것을 받고 있다. 당신이 꿈꾸는 일을 상상하는 동안 끌어당김의 법칙은 그것을 받고 있는 것이다. 기억하라. 끌어당김의 법칙에는 시간이 없다. 오로지 지금 이 순간만 존재한다.

당신이 원하는 것을 받기까지 시간 지연이 있다면 이는 오로지 당신의 소망과 같은 감정 주파수대로 '당신이' 옮겨 가는 데 시간이 필요하기 때문이다. 또한 당신의 소망과 같은 주파수대로 옮겨 가기 위해서는 소망을 누리는 데 대한 사랑을 느껴야 한다! 당신이 같은 감정 주파수대로 옮겨 가서 그 상태에 머물 때 소망이 이루어진다.

"당신이 필요로 하거나 바랄 만한 것은 이미 모두 당신 것이다. 당신의
소망이 이루어졌다고 상상하고 느낌으로써 당신의 소망이 실현되도록
하라."

네빌 고더드 (1905-1972)
신사상 운동 저자

방금 일어난 어떤 일에 대해 당신이 정말로 흥분하고 놀라움을 느낀
다면 이 에너지를 포착하여 당신의 꿈을 상상하라. 당신이 원하는 것을
이루기 위해 흥분된 감정이 지닌 파워를 이용하려면 그저 순간적으로
번뜩이듯 당신의 꿈을 상상하고 느끼기만 하면 된다! 이것이 놀이다. 이
것이 재미다. 이것이 당신의 삶을 창조하는 기쁨이다.

파워의 핵심 포인트

창조의 핵심 포인트

- 사랑을 삶의 궁극적인 파워로 이용하기 위해 당신은 전에 한 번도 사랑해 보지 않은 것처럼 사랑해야 한다. 삶과 사랑에 빠져라!

- 오로지 사랑만을 보고, 오로지 사랑만을 듣고, 오로지 사랑만을 말하고, 온 마음으로 사랑을 느껴라.

- 당신이 느낄 수 있는 사랑의 양에는 한계도 없고, 상한선도 없다. 당신 안에 모두 들어 있다! 당신은 사랑으로 이루어져 있다.

- 좋아하는 것을 찾아내고 느낌으로써 끌어당김의 법칙에게 당신이 좋아하는 것을 매일 말하라.

- 당신의 감정 상태를 바꾸거나 기분 좋은 감정을 더 고양시키려면 당신이 사랑하고 감탄하는 모든 것을 마음속의 목록으로 작성하라!

- 매일 가능한 한 많이 사랑하는 것이 당신의 일이다.

- 주변에서 당신이 좋아하는 것을 매일 최대한 많이 알아차리기 위해 세심한 노력을 기울여라.

감사하는 마음의 열쇠

- 감사하는 마음을 느낄 때마다 당신은 사랑을 준다.

- 당신이 살아오면서 받은 모든 것에 고마워하라(과거).
  당신이 살면서 받고 있는 모든 것에 고마워하라(현재).
  당신이 삶에서 원하는 것을 이미 받은 것처럼 고마워하라(미래).

- 감사하는 마음은 당신 삶의 모든 것을 몇 배로 늘려 준다.

- 감사하는 마음은 당신이 부정적 감정에서 벗어나서 사랑의 힘을 이용하도록 이어 주는 다리다!

- 감사하는 마음이 지닌 파워를 이용하려면 감사하는 마음을 늘 실천하라. 그 날 하루 좋은 일이 일어나면 고마워하라. 그 일이 아무리 작은 것이라도 상관 없다. 감사하다고 말하라.

- 감사하는 마음을 더 많이 느낄수록 당신은 더 많은 사랑을 주고, 당신이 더 많은 사랑을 줄수록 당신은 더 많이 받는다.

- 잠깐씩 남는 1초의 시간이 감사할 수 있는 기회이며 당신이 좋아하는 것을 몇 배로 늘릴 수 있는 기회다.

놀이의 열쇠

- 즐겁게 놀 때 당신은 정말 기분이 좋으며, 정말 좋은 상황이 당신 삶에 찾아온다. 심각한 태도는 심각한 상황을 불러들인다.

- 삶은 원래 재미있다!

- 끌어당김의 법칙은 당신이 상상 속에서 노는지 어떤지 알지 못한다. 그러므로 당신이 상상하면서 느끼는 동안 무엇을 주든지 그것이 현실이 될 것이다!

- 당신이 원하는 것이 무엇이든 상상을 이용하라. 당신이 찾을 수 있는 모든 도구를 이용하라. 게임을 만들라. 놀이를 하라.

- 당신이 지금 그것을 누리는 것처럼 행동하라! 느낌으로 무엇을 상상하든 당신은 끌어당김의 법칙에 그것을 주고 있으며 반드시 준 대로 받는다.

- 당신이 원하는 것을 받기까지 시간 지연이 있다면 이는 오로지 당신의 소망과 같은 감정 주파수대로 당신이 옮겨 가는 데 시간이 필요하기 때문이다.

- 어떤 일에 대해 흥분하고 놀라움을 느낄 때 이 에너지를 포착하여 당신의 꿈을 상상하라.

파워와 돈

"빈곤이란 가난하다고 느끼는 것이다."

랄프 왈도 에머슨 (1803-1882)
초월주의 작가

당신은 돈에 대해 어떻게 느끼는가? 대부분의 사람들이 돈을 사랑한다고 말할 것이다. 그러나 돈이 넉넉하지 않을 경우에는 돈에 대해 좋은 기분을 느끼지 않는다. 필요한 돈을 다 갖고 있다면 분명히 돈에 대해 좋은 기분을 느낄 것이다. 그렇다면 필요한 돈을 다 갖지 못한 경우 돈에 대해 좋은 기분을 느끼지 못하므로, 당신이 돈에 대해 어떤 기분을 느끼는지 알 수 있을 것이다.

세상을 바라보면 대다수 사람들이 돈에 대해 좋은 기분을 느끼지 않는다는 걸 알 것이다. 세상의 돈과 부는 대부분 10퍼센트에 해당하는 사람들의 수중에 있기 때문이다. 부유한 사람과 그렇지 못한 다른 모든 사람들의 차이는 오로지 부유한 사람이 돈에 대해 기분 나쁜 감정보다는 기분 좋은 감정을 더 많이 느낀다는 데 있다. 아주 단순하다.

왜 그토록 많은 사람이 돈에 대해 기분 나쁜 감정이 드는 걸까? 그들이 한 번도 돈을 가져 본 적이 없기 때문은 아니다. 그보다는 돈을 가진 대다수 사람이 그 돈으로 뭔가를 하지 않기 때문이다. 그토록 많은 사람들이 돈에 대해 기분 나쁜 감정을 느끼는 이유는 이들이 돈에 대해 부정적 믿음을 갖고 있기 때문이며, 이런 부정적 믿음은 어린 시절의 무의식 속에 심어졌다. 예를 들어 이런 믿음들이다. "우리는 그럴 형편이 못 돼." "돈은 죄악이야." "부자는 정직하지 않아." "돈을 원하는 것은 나쁜 일이며 고상하지 않아." "돈을 많이 벌려면 힘들게 일해야 해."

어린 시절에는 부모, 선생님, 사회가 말하는 모든 것을 그대로 받아들인다. 또한 자기도 깨닫지 못한 채 돈에 대해 부정적 감정을 느끼면서 자란다. 역설적이게도 당신은 돈을 원하는 게 나쁘다는 이야기를 듣는 동시에 다른 한편으로 좋아하지 않는 일을 해서라도 생계비를 벌어야 한다는 이야기를 듣는다. 심지어 당신이 생계비를 벌기 위해 할 수 있는 일이 몇 가지밖에 되지 않으며 목록이 제한되어 있다는 이야기도 들었을 것이다.

이런 이야기는 모두 사실이 아니다. 당신에게 이런 이야기를 한 사람들은 자신들이 사실이라고 믿고 느낀 것을 전했기 때문에 아무 잘못이 없다. 그러나 그들이 이런 이야기를 믿었기 때문에 끌어당김의 법칙에 의해 이 이야기가 그들의 삶에서 사실이 되었다. 이제 당신은 삶이 완전히 다른 방식으로 이루어진다는 것을 알고 있다. 당신 삶에 돈이 부족하다면 이는 당신이 돈에 대해 좋은 감정을 느끼기보다는 나쁜 감정을 더 많이 느끼기 때문이다.

> "하나도 부족한 게 없다는 것을 깨달을 때 세상 전부가 당신 것이다."
>
> **노자** (기원전 6세기경)
> 도교 창시자

사랑은 달라붙는 힘이다

나는 보잘것없는 집안 출신이며 우리 부모는 많은 돈을 원하지는 않았지만 어떻게든 빚지지 않고 살려고 무척 애를 썼다. 그 결과 나 역시 대부분의 사람들과 똑같은 부정적 믿음을 지닌 채 자랐다. 나는 내 상황을 바꾸기 위해서 돈에 대해 느끼는 감정을 바꿔야 한다고 깨달았다. 또한 돈이 내게 오도록 하기 위해서, 더 나아가 돈이 내게 달라붙도록 하기 위해서 나 자신을 완전히 바꿔야 한다고 깨달았다!

나는 돈을 가진 사람들이 돈을 자신에게로 끌어당길 뿐만 아니라 돈이 자신에게 달라붙도록 한다는 걸 알 수 있었다. 이 세상의 돈을 모두 거둬들여서 모든 사람에게 똑같이 나눠 주더라도 얼마 지나지 않아 모

든 돈은 다시 몇몇 사람의 수중에 모일 것이다. 끌어당김의 법칙은 사랑을 따르기 마련이며, 돈에 대해 좋은 감정을 느끼는 몇 퍼센트의 사람이 다시 자석처럼 돈을 끌어당기기 때문이다. 세상의 모든 돈과 부를 움직이는 것은 사랑의 힘이며, 이 사랑의 힘은 법칙에 따라 돈과 부를 움직인다.

"이것은 영원하고 근본적인 원리이며, 모든 것, 모든 철학체계, 모든 종교, 모든 과학에 내재되어 있다. 사랑의 법칙에서 벗어날 방법은 없다."

찰스 해널 (1866-1949)
신사상 운동 저자

당신은 사람들이 복권에 당첨될 때 끌어당김의 법칙이 작용하는 것을 볼 수 있다. 이들은 복권에 당첨될 거라고 상상하고 온 마음으로 느꼈다. 이들은 복권에 당첨될 '때'라고 말하며, '만일' 복권에 당첨된다면 하고 말하지 않는다. 또한 복권에 당첨될 '때' 무엇을 할지 계획하고 상상했다. 그리고 복권에 당첨되었다! 그러나 복권 당첨자에 대한 통계를 보면 돈이 달라붙는지 그렇지 않은지에 대한 실제적인 증거가 드러난다. 복권에 당첨된 뒤 몇 해가 지나면 이들 대다수는 돈을 모두 잃고, 복권에 당첨되기 전보다 더 많은 빚을 진다.

이런 일이 생기는 이유는 그들이 끌어당김의 법칙을 이용하여 복권에 당첨되긴 했지만 돈을 받았을 때조차 돈에 대해 실제로 느끼는 감정을 바꾸지 않은 탓에 돈을 모두 잃었기 때문이다. 돈이 그들에게 달라붙지 않았던 것이다!

돈에 대해 좋은 감정을 느끼지 않을 때 당신은 돈을 쫓아 버린다. 돈은 결코 당신에게 달라붙지 않을 것이다. 기대하지 않았던 예상 밖의 가욋돈이 생겼을 때에도 얼마 지나지 않아 손가락 사이로 모두 빠져나가 버린 것을 알게 될 것이다. 고액의 청구서들이 날아오고, 물건이 고장 나고, 예측할 수 없는 갖가지 상황이 벌어지는 등 이 모든 일로 인해 당신에게서 돈이 빠져나가고 수중에 돈이 없어진다.

그렇다면 돈이 달라붙게 만드는 것은 무엇인가? 사랑이다! 사랑은 돈이 오도록 끌어당기는 힘이며, 돈이 달라붙게 만드는 파워이기도 하다! 당신이 좋은 사람인지 아닌지는 아무 상관이 없다. 당신이 생각하는 것보다 당신은 훨씬 더 훌륭한 사람이기 때문에 그런 관점에서 볼 때 당신이 어떤 사람인지는 의문의 여지가 없다.

돈을 불러들이고 당신에게 달라붙게 하려면 돈에 사랑을 주고 돈에 좋은 감정을 느껴야 한다! 지금 당장 돈이 부족하고 신용카드 빚이 늘고 있다면 당신에게는 달라붙는 파워가 없고 심지어 돈을 쫓아 버리고 있다.

현재 당신의 재정 상태가 어떤지는 중요하지 않다. 당신의 사업, 국가, 세계의 재정 상태가 어떤지도 중요하지 않다. 가망 없는 상황이라는 건 없다. 대공황 시기에 살았던 사람 중에도 사랑의 법칙과 끌어당김의 법칙을 알고 있었던 덕분에 부자가 된 사람들이 있다. 그들은 자신이 원하는 모든 것을 상상하고 느낌으로써 법칙에 따라 살았으며 주변 상황에 맞섰다.

"우리의 삶을 좋게 하라. 그러면 좋은 시대가 된다. 우리가 우리 시대를 만든다. 우리 형편이 달라지는 데 따라 시대도 달라진다."

히포의 성 아우구스티누스 (354-430)
신학자이자 주교

사랑의 힘은 각각의 장애나 상황을 모두 돌파할 수 있다. 세계적인 문제도 사랑의 힘 앞에서는 장애가 되지 못한다. 끌어당김의 법칙은 시절이 좋든 나쁘든 같은 파워로 작용한다.

돈에 대한 감정 상태를 바꾸는 법

돈에 대한 감정 상태를 바꿀 때 당신 삶에 들어 있는 돈의 양도 바뀔 것이다. 당신이 돈에 대해 좋은 기분을 느낄수록 자석처럼 더 많은 돈을 당신에게 끌고 온다.

당신에게 돈이 많지 않으면 청구서를 받을 때 기분이 좋지 않을 것이다. 그러나 고액의 청구서에 부정적으로 반응하는 순간 당신은 돈에 나쁜 감정을 주며 틀림없이 더 많은 액수의 청구서를 받을 것이다. 당신이 무엇을 주든 준 대로 돌려받는다. 그러므로 가장 중요한 것은 청구서의 돈을 지불할 때 어떤 방법으로든 기분을 좋게 만드는 길을 찾아야 한다는 점이다. 기분 좋은 느낌이 들지 않을 때에는 절대로 청구서의 돈을 지불하지 마라. 더 많은 액수의 청구서를 끌고 올 것이기 때문이다.

당신이 느끼는 감정을 바꾸기 위해서는 상상을 이용하여 청구서를 기분 좋은 뭔가로 바꾸어야 한다. 당신은 그것이 사실은 청구서가 아니라고 상상할 수 있다. 그 대신 회사나 개인이 훌륭한 서비스를 제공한 데 대해 당신이 선의에서 그들에게 돈을 기부하기로 마음먹은 것이라고 상상할 수 있다.

청구서가 당신이 받을 수표라고 상상하라. 또는 감사하는 마음을 이용하라. 회사가 제공한 서비스 덕분에 당신이 얼마나 많은 혜택을 입었는지 생각함으로써 당신에게 청구서를 보낸 회사에 고마워하라. 예를 들어 전기를 고마워하고, 당신이 집에서 살 수 있는 것을 고마워하라. 청구서의 돈을 낼 때 청구서 앞면 가득 "감사합니다. 지불했습니다."라고 적을 수도 있다. 당장 청구서의 돈을 낼 형편이 되지 않는다면 청구서 앞면 가득 "돈을 주어 감사합니다."라고 써라. 끌어당김의 법칙은 당신이 상상하고 느끼는 것이 현실인지 아닌지 따지지 않는다. 당신이 주는 것에 반응할 뿐이다. 오직 그것뿐이다.

"당신이 들인 노력이나 시간에 따라 보상받는 것이 아니라 당신이 베푼 사랑의 양에 따라 보상받는다."

시에나의 성 카타리나 (1347-1380)
철학자이자 가톨릭교회 의사

월급을 받을 때 월급 액수가 크게 늘어나도록 감사하는 마음을 가져라! 대부분의 사람들은 월급을 받을 때조차 기분 좋은 감정을 느끼지 않는다. 월급으로 어떻게 살아갈지 걱정이 많이 들기 때문이다. 이들은 월급을 받을 때마다 사랑을 줄 수 있는 멋진 기회를 놓치고 있다. 돈이 당신 손에 들어올 때 액수가 아무리 적더라도 감사하는 마음을 가져라! 기억하라. 뭐든 당신이 감사하는 것은 크게 늘어난다. 감사하는 마음은 커다란 증폭기다!

놀이 기회를 모두 잡아라!

당신이 돈을 만지는 모든 순간을 포착하여 기분 좋은 감정을 느낌으로써 돈이 늘어나도록 하라. 돈을 지불할 때 사랑을 느껴라! 돈을 건네줄 때 사랑을 느껴라! 당신이 내는 돈이 회사와 그 회사에서 일하는 직원에게 얼마나 도움이 될지 상상함으로써 온 마음으로 사랑을 느껴라.

그러면 당신의 돈이 줄어든다고 기분 나빠지는 대신 당신이 주는 돈에 대해 좋은 감정을 느끼게 된다. 이 두 가지의 차이가 장차 남은 인생에서 돈이 풍족할지 아니면 돈 때문에 허덕일지 판가름한다.

돈을 만질 때마다 반드시 돈에 대해 기분 좋은 감정을 느끼도록 놀이를 할 수 있는 게임 한 가지를 소개한다. 1달러 지폐를 상상하라. 이 지폐의 앞면은 많은 돈을 나타내는 긍정적인 면이라고 상상하라. 지폐의 뒷면은 돈이 부족한 것을 나타내는 부정적인 면이라고 상상하라. 당신이 돈을 만질 때마다 의도적으로 지폐 앞면이 당신을 향하도록 하라. 지갑에 돈을 넣을 때에도 앞면이 당신을 향하도록 하라. 돈을 건넬 때 반드시 지폐 앞면이 위로 향하도록 하라. 이렇게 함으로써 풍족한 돈에 대해 언제나 기분 좋은 감정을 느끼기 위한 기억 신호로 돈을 이용하는 것이다.

신용카드를 사용할 때에는 당신 이름이 적힌 앞면이 보이도록 하라. 신용카드 앞면은 풍족한 돈이 있고, 그 위에 당신 이름이 적혀 있다는 것을 당신에게 말해 주기 때문이다!

돈이나 신용카드를 건네면서 돈을 지불할 때 상대를 위해 풍족한 돈을 상상하고 그런 의도를 가지라. 당신은 무엇을 주든 그대로 돌려받는다!

당신이 지금 부자라고 상상하라. 지금 당신에게 필요한 돈을 모두 갖고 있다고 상상하라. 당신은 얼마나 다른 삶을 살게 될까? 당신이 누리게 될 모든 것을 생각하라. 어떤 기분일까? 당신의 기분이 달라질 것이고, 기분이 달라지니 걸음걸이가 달라질 것이다. 말하는 것도 달라질 것이다. 자세도 달라질 것이고, 움직이는 것도 달라질 것이다. 모든 것을 대하는 반응이 달라질 것이다. 청구서를 대하는 반응도 달라질 것이다. 사람, 상황, 일, 삶의 모든 것을 대하는 반응이 달라질 것이다. 왜냐하면 당신의 '기분'이 달라지기 때문이다! 마음은 편해질 것이다. 마음의 평화도 생길 것이다. 행복을 느낄 것이다. 모든 것에 대해 느긋한 마음이 될 것이다. 내일을 생각하지 않은 채 매일 즐겁게 보낼 것이다. 당신은 이런 기분을 느끼고 싶어 한다. 이것이 돈에 대한 사랑의 느낌이며 이 느낌은 자석처럼 끈끈하게 달라붙는다!

"소망하는 것을 이미 손에 쥐었을 때 당신이 어떤 기분을 느낄지 추측해 봄으로써 당신의 소망 실현과 연관되는 느낌을 포착하라. 그러면 당신의 소망이 구체화되어 나타날 것이다."

네빌 고더드 (1905-1972)
신사상 운동 저자

돈에게 "네."라고 말하라

기억하라. 다른 사람이 더 많은 돈이나 성공을 얻은 이야기를 들을 때면 언제라도 흥분을 느껴라. 이는 당신이 그와 같은 주파수대에 있다는 의미이기 때문이다! 이는 당신이 좋은 주파수대에 있다는 증거이므로 당신에게 그 일이 일어난 것처럼 흥분하라. 모든 것은 그 소식에 대한 당신의 반응에 달려 있다. 다른 사람의 일에 기쁨과 흥분으로 반응하면 당신은 자신을 위해 더 많은 돈과 성공에 '네'라고 말하는 것이다. 그런 일이 당신에게 일어나지 않았다고 실망이나 질투를 느끼는 식으로 반응하면 당신의 나쁜 감정이 당신 자신을 위한 더 많은 돈과 성공에 '아니요'라고 말하는 것이다. 복권에 당첨된 사람 이야기를 듣거나 기록적인 수익을 올린 회사 이야기를 듣는다면 그들의 일에 흥분과 행복을 느껴라. 그런 소식을 들었다는 사실은 당신이 같은 주파수대에 있다는 것을 말해 준다. 또한 그들의 일에 좋은 감정을 느끼면서 반응할 때 당신은 자신을 위해 '네'라고 말하고 있다!

몇 년 전 나는 내 생애에 자금 형편이 가장 좋지 못한 상황에 놓여 있었다. 신용카드 몇 개가 한도까지 찼고 내 아파트는 최고액까지 저당 잡혀 있었으며, 회사는 내가 〈시크릿〉이라는 제목의 영화를 만드느라 수백만 달러의 빚을 지고 있었다. 아마 돈과 관련된 내 상황은 어느 누구

못지않게 나빴을 것이다. 나는 영화를 완성하기 위해 돈이 필요했고, 끌어당김의 법칙을 알았으며, 돈을 내게 가져오기 위해서는 돈에 대해 좋은 감정을 느껴야 한다는 것을 알았다. 그러나 사람들이 돈을 달라고 아우성치는 가운데 매일매일 빚은 늘어만 갔고 직원 월급을 어떻게 줄지 해결책을 찾지 못했다. 그것은 쉬운 일이 아니었다. 그래서 나는 대담한 행동에 나섰다.

나는 현금 자동 입출금기로 가서 신용카드 계좌에서 수백 달러를 인출했다. 청구서의 금액을 지불하고 음식을 사기 위해 절실히 필요한 돈이었지만 나는 손에 돈을 들고 붐비는 거리를 걸으면서 지나가는 사람들에게 돈을 주었다.

나는 손에 50달러짜리 지폐 한 장을 들고 걷는 동안 나를 향해 걸어오는 사람들의 얼굴 하나하나를 보면서 누구에게 돈을 줄지 마음을 정하려고 했다. 모든 사람 한 명 한 명에게 돈을 주고 싶었지만 내게는 한정된 액수밖에 없었다. 나는 내 마음이 선택하도록 했고, 여러 부류의 사람들에게 돈을 주었다. 나는 생애 처음으로 돈에 사랑을 느꼈다. 그러나 돈 그 자체 때문에 사랑을 느낀 것은 아니었다. 사람들에게 돈을 주는 행동이 나로 하여금 돈에 사랑을 느끼도록 만들었다. 그날은 금요일이었다. 그 후 주말 내내 나는 돈을 주는 것이 얼마나 기분 좋은지를 깨닫고 기쁨의 눈물을 흘렸다.

월요일 오후 실로 놀라운 일이 벌어졌다. 정말 믿기 힘든 일련의 사건이 이어지면서 내 통장에 2만 5,000달러가 들어와 있었다. 이 돈 2만 5,000달러는 말 그대로 하늘에서 뚝 떨어져서 내 삶과 내 통장으로 들어온 것이다. 몇 년 전 나는 친구 회사의 주식을 산 적이 있었는데, 주가가 한 번도 오르지 않았기 때문에 주식에 대해 잊고 있었다. 그러다가 그 월요일에 전화 한 통을 받았다. 주가가 급상승했는데 주식을 팔 것인지 묻는 전화였고, 월요일 오후 주식 대금이 내 통장에 들어왔다.

나는 더 많은 돈을 내게 가져오기 위해 거리로 나가서 돈을 나눠 준 게 아니었다. 나는 돈에 대한 사랑을 느끼기 위해 돈을 나눠 주었다. 평생 동안 돈에 대해 나쁜 감정을 느끼며 살아온 것을 바꾸고 싶었다. 돈을 얻기 위해 돈을 나눠 주었다면 그 행동은 결코 효과가 없었을 것이다. 나의 동기가 사랑에서 비롯된 것이 아니라 돈의 부족을 느끼는, 부정적인 것에서 비롯되었다는 의미이기 때문이다. 그러나 당신이 다른 이에게 돈을 준다면, 또한 그러는 과정에서 사랑을 느낀다면, 그것은 틀림없이 당신에게 돌아올 것이다. 정말 가치 있다고 느낀 자선 사업에 100달러 수표를 서명해서 기부한 사람이 있었다. 이 사람은 수표에 서명한 지 10시간 만에 그가 이제껏 회사에서 성사시킨 것 중에서 가장 큰 판매 계약을 체결했다.

"얼마나 많이 주었는지가 아니라 주는 행위 속에 얼마나 많은 사랑이
담겼는지가 중요하다."

마더 테레사 (1910-1997)
노벨 평화상 수상 선교사

 돈 때문에 어려움을 겪고 있고 돈에 대해 정말 기분 좋은 감정을 느끼
고 싶다면 하루 동안 길거리에서 당신 곁을 지나가는 사람들에게 돈이
풍족하다는 생각을 전해도 좋다. 거리에서 만나는 사람들의 얼굴을 하
나하나 보면서 그들에게 많은 돈을 준다고 상상하고, 그들의 기쁨을 상
상하라. 그 기쁨을 느끼고 다음 사람으로 넘어가라. 간단한 일이지만 정
말로 좋은 기분을 느낀다면 당신이 돈에 대해 느끼는 감정이 바뀔 것이
고 당신 삶에서 돈 사정이 바뀔 것이다.

경력과 사업

> "마음이 없는 진정한 천재란 없다. 뛰어난 이해력이나 지능만으로는
> 천재가 되지 않으며 이 두 가지가 합쳐진대도 천재가 되지 못한다. 사랑!
> 사랑! 사랑! 이것이야말로 천재의 영혼이다."
>
> 니콜라우스 요세프 폰 야킨 (1727-1817)
> 네덜란드 과학자

　이 세상 모든 돈을 움직이는 것은 사랑이 끌어당기는 힘이며, 좋은 기분을 느낌으로써 사랑을 주는 사람은 자석처럼 돈을 끌어온다. 돈을 벌어서 자신을 증명할 필요가 없다. 당신은 지금 자신에게 필요한 돈을 모두 가질 가치가 있다! 지금 당신에게 필요한 돈을 모두 가질 자격이 있다! 당신은 원래 일이 즐거워서 일하는 사람이었다. 당신은 원래 일할 생각에 마음이 설레고 흥분되기 때문에 일하는 사람이었다. 당신은 원래 일을 사랑하기 때문에 일하는 사람이었다! 또한 당신이 하는 일을 사랑할 때 돈이 따라온다!

　돈을 벌 수 있는 유일한 길이라는 생각 때문에 그 일을 하고 있지만 그 일을 사랑하지 않는다면 결코 돈이 들어오지 않으며, 당신이 좋아하는 일도 오지 않을 것이다. 당신이 좋아하는 일은 지금 존재하며 그 일이

당신에게 오도록 하기 위해서 당신은 그저 사랑을 주기만 하면 된다. 지금 그 일을 하고 있다고 상상하고 느껴라. 그러면 그 일을 받을 것이다. 당신이 하는 일에서 좋은 점을 모두 찾아내어 사랑하라. 사랑을 줄 때 당신이 좋아하는 것이 모두 뒤따라오기 때문이다. 당신이 좋아하는 일이 곧바로 당신 삶 속으로 걸어 들어올 것이다!

한 실업자가 늘 원했던 직장에 지원했다. 그런 다음 그는 연봉과 세부 사항이 적힌 가짜 채용 통지서를 만들었다. 자기 이름과 회사 로고가 적힌 명함을 만들고 자신이 이 회사에서 일한다는 감사의 마음을 느끼면서 명함을 바라보았다. 또한 취직을 축하하는 이메일을 며칠마다 한 번씩 자신에게 보냈다.

이 남자는 전화 인터뷰를 통과한 뒤 10명의 사람들과 함께 직접 면접을 보게 되었다. 면접이 끝나고 두 시간 뒤 회사는 전화로 그에게 채용 소식을 알렸다. 이 남자는 가상의 채용 통지서에 썼던 것보다 훨씬 많은 연봉을 받으며 자신이 늘 원했던 직장을 얻었다.

당신이 살아가면서 하고 싶은 일이 무엇인지 모르더라도 그저 기분 좋은 느낌을 통해 사랑을 주기만 하면 된다. 그러면 당신이 좋아하는 모든 것이 자석처럼 자신에게 끌려올 것이다. 당신이 느끼는 사랑의 감정이 당신을 목표 지점으로 이끌 것이다. 꿈의 직장은 사랑의 주파수대에 있으며 그 주파수를 받기 위해 당신은 그저 그 주파수대로 가기만 하면 된다.

"성공은 행복을 얻는 열쇠가 아니다. 행복이 성공을 얻는 열쇠다."

알베르트 슈바이처 (1875-1965)
노벨 평화상 수상 의료 선교사이자 철학자

사업 성공도 똑같은 방식으로 이루어진다. 사업을 하고 있지만 원하는 만큼 잘되지 않는다면 당신 사업에 뭔가가 달라붙지 않고 있다. 사업이 잘 풀리지 않는 가장 큰 원인은 잘되지 않는다고 나쁜 감정을 내보내는 데 있다. 설령 사업이 잘되고 있더라도 가벼운 하락세를 보일 때 나쁜 감정을 보이면 사업에 더 큰 침체기를 불러올 것이다. 당신이 상상하기 힘들 정도로 사업을 급성장시킬 영감과 아이디어는 사랑의 주파수대에 있다. 그러므로 당신 사업에 대해 기분 좋은 감정을 느끼고 최대한 높은 주파수대로 옮겨 가기 위한 방법을 찾아야 한다.

상상하고, 놀이를 하고, 게임을 만들고, 그 밖에 당신의 영혼을 고양시키고 기분을 좋게 만들기 위해 할 수 있는 것은 뭐든지 하라. 당신의 기분이 상승할 때 사업도 상승할 것이다. 매일 당신 삶의 모든 영역에서 당신 눈에 보이는 모든 것을 사랑하라. 당신 주위에 있는 모든 것을 사랑하라. 다른 회사의 성공을 당신의 성공인 것처럼 사랑하라! 성공에 대해 정말 기분 좋게 느끼면 그것이 누구의 성공이든 당신에게 성공이 달라붙는다!

사업을 하든, 회사에 다니든, 자기 일을 하든, 월급이나 수익금으로 돈을 '받을' 때 그에 걸맞은 가치를 '주라'. 받은 돈보다 적은 가치를 주면 당신의 사업이나 일은 실패할 운명이 된다. 절대로 다른 누군가로부터 얻을 수 없다. 당신 자신에게서만 얻을 수 있다. 당신이 받은 것에 언제나 그에 걸맞은 가치를 주라. 이때 결코 모자라지 않게 주려면 당신이 받은 돈보다 '더 많은' 가치를 주는 수밖에 없다. 당신이 받은 돈보다 더 많은 가치를 주면 사업도 일도 날아오를 것이다.

사랑 안에는 당신이 받을 수 있는 수많은 방법이 있다

돈은 당신이 좋아하는 것을 경험하게 해 주는 도구일 뿐이다. 돈만 생각할 때보다 돈으로 무엇을 할 수 있는지 생각할 때 더 많은 사랑과 기쁨을 느낄 것이다. 당신이 좋아하는 것이 곁에 있다고 상상하라. 좋아하는 일을 한다고 상상하라. 좋아하는 것을 갖고 있다고 상상하라. 그러면 돈만 생각할 때 느끼는 것보다 훨씬 많은 사랑을 느낄 것이다.

사랑이 끌어당기는 힘에는 당신이 원하는 것을 받게 해 줄 수없이 많은 방법이 있으며 그중 단 한 가지 방법이 돈과 관련된다. 오로지 돈이 있어야만 당신이 뭔가를 얻을 수 있다고 생각하는 잘못을 저지르지 마라. 이는 제한적인 생각이며 당신 삶이 제한될 것이다!

내 여동생은 우여곡절을 겪은 끝에 새 차를 끌어당긴 일이 있다. 여동생은 차를 몰고 출근했는데 급작스런 홍수를 만나 그만 차가 물속에 잠겼다. 위험할 정도로 물이 높이 찬 것은 아니었지만 응급구조 요원의 요구에 따라 마른 지대로 피신했다. 여동생은 이 모든 과정을 겪는 내내 웃음을 잃지 않았고 그녀를 구조하는 과정이 저녁 텔레비전 뉴스에 나오기도 했다. 여동생의 차는 물에 잠겨 심하게 훼손되는 바람에 수리할 수 없는 지경이었다. 2주일 만에 여동생은 거액의 수표를 받았고 꿈꾸던 차를 구입했다.

이 이야기에서 가장 놀라운 부분은 내 여동생이 그 당시 집수리를 하고 있었고 새 차를 장만할 여윳돈이 전혀 없었다는 점이다. 새 차를 사겠다는 상상조차 하지 않았다. 여동생은 우리 형제 중 한 명이 새 차를 샀다는 소식을 들었을 때 기쁨의 눈물을 흘렸기 때문에 아름다운 새 차를 자신에게 끌어당겼다. 형제가 새 차를 얻은 데 대해 크게 행복해하고 아주 많은 사랑을 주었기 때문에 끌어당김의 법칙이 모든 날씨 요소, 상황, 사건을 움직여 그녀에게 새 차를 전해 준 것이다. 이것이 사랑의 파워다!

당신이 원하는 것을 받기 전까지는 어떻게 그것을 받을지 알지 못하겠지만 사랑의 힘은 알고 있다. 자기 방식에서 벗어나서 믿음을 가져라. 당신이 원하는 것을 상상하고 당신 안에 행복을 느껴라. 그러면 사랑의 끌어당기는 힘은 당신이 그것을 받을 수 있도록 완벽한 방법을 찾을 것이다. 우리 인간의 정신은 한계가 있지만 사랑의 지혜에는 한계가 없다. 사랑은 우리의 이해력을 넘어서는 방법을 알고 있다. 돈만이 당신이 원하는 것을 얻을 수 있는 유일한 길이라고 생각함으로써 당신 삶을 제한하지 마라. 돈을 유일한 목표로 삼지 말고 당신이 되고 싶은 것, 하고 싶은 것, 갖고 싶은 것을 목표로 삼아라. 새 집을 원한다면 그 집에서 사는 기쁨을 상상하고 느껴라. 아름다운 옷, 가전제품, 자동차를 갖고 싶거나, 대학에 가고 싶거나, 다른 나라에 가서 살고 싶거나, 음악, 연기, 체육 훈련을 받고 싶다면 원하는 대로 상상하라! 이 모든 것들이 수없이 많은 방법을 통해 당신에게 올 것이다.

사랑이 가장 위에 있다

돈에 관련된 한 가지 규칙이 있다. 절대로 사랑보다 돈을 우선시할 수 없다. 사랑보다 돈을 우선시하면 사랑 안에 있는 끌어당김의 법칙을 어기게 되고 그 결과를 감당해야 한다. 사랑은 당신 삶을 지배하는 힘이어야 한다. 사랑보다 위에 놓일 수 있는 것은 아무것도 없다. 돈은 당신이 이용하는 도구이며 사랑을 통해 돈이 당신에게 온다. 그러나 삶에서 사랑보다 돈을 우선시하면 이로 인해 당신은 수많은 부정적인 것을 받는다. 다니는 곳마다 사람들에게 무례하게 굴고 부정적으로 대하면서 돈에 사랑을 줄 수는 없다. 그럴 경우 인간관계, 건강, 행복, 재정 상태 속으로 부정성이 들어오도록 문을 열어 주기 때문이다.

"사랑이 필요할 때 깨달아야 할 게 있다. 사랑을 얻을 수 있는 유일한 방법이 사랑을 주는 것이며 사랑을 많이 줄수록 더 많이 받는다는 사실이다. 사랑을 줄 수 있는 유일한 방법은 당신이 자석이 될 때까지 당신 자신을 사랑으로 가득 채우는 것이다."

찰스 해낼 (1866-1949)
신사상 운동 저자

당신은 원래부터 충만한 삶을 사는 데 필요한 돈을 갖고 있는 사람이었다. 당신은 원래부터 돈이 부족해서 고생할 사람이 아니었다. 힘든 고생은 세상에 대한 부정성을 늘리기 때문이다. 사랑을 첫째로 꼽을 때 당신이 충만한 삶을 사는 데 필요한 모든 돈이 당신에게 온다는 데 삶의 아름다움이 있다.

파워의 핵심 포인트

- 이 세상 모든 돈을 움직이는 것은 사랑이 끌어당기는 힘이며, 좋은 기분을 느낌으로써 사랑을 주는 사람은 누구든 자석처럼 돈을 끌어온다.

- 필요한 돈을 다 갖지 못한 경우 돈에 대해 좋은 기분을 느끼지 못하므로 당신이 돈에 대해 어떤 기분을 느끼는지 알 수 있을 것이다.

- 사랑은 돈이 들어오도록 끌어당기는 힘이며, 돈이 달라붙게 하는 파워이다!

- 청구서의 돈을 지불할 때 어떤 방법으로든 기분을 좋게 만드는 길을 찾아라. 청구서가 당신이 받을 수표라고 상상하라. 또는 감사하는 마음을 이용하여, 당신에게 청구서를 보낸 회사에 고마워하라.

- 돈이 당신 손에 들어올 때 액수가 아무리 적더라도 감사하는 마음을 가져라! 기억하라. 감사하는 마음은 커다란 증폭기다!

- 돈을 지불할 때 당신 돈이 줄어든다고 기분 나빠 하지 말고 사랑을 느껴라! 이 두 가지의 차이가 앞으로 남은 인생에서 돈이 풍족하게 생길지 아니면 돈 때문에 허덕일지 결정한다.

- 풍족한 돈에 대해 반드시 기분 좋은 감정을 느끼기 위한 기억 신호로 실제 돈을 이용하라. 모든 지폐의 앞면은 많은 돈을 나타내는 긍정적인 면이라고 상상하라. 돈을 만질 때마다 의도적으로 지폐 앞면이 당신을 향하도록 하라.

- 성공에 대해 정말 기분 좋게 느끼면 그것이 누구의 성공이든 당신에게 성공이 달라붙는다!

- 월급이나 수익금으로 돈을 받을 때 그에 걸맞은 가치를 주라. 받은 돈보다 더 많은 가치를 주면 사업도, 일도 날아오를 것이다.

- 돈은 당신이 좋아하는 것을 경험하게 만들어 주는 도구일 뿐이다. 사랑이 끌어당기는 힘에는 당신이 원하는 것을 받게 해 줄 수없이 많은 방법이 있으며 그중 단 한 가지 방법이 돈과 관련된다.

- 당신이 좋아하는 것이 곁에 있다고 상상하라. 좋아하는 일을 한다고 상상하라. 좋아하는 것을 갖고 있다고 상상하라. 그러면 돈만 생각할 때 느끼는 것보다 훨씬 많은 사랑을 느낄 것이다.

- 사랑을 첫째로 꼽을 때 당신이 충만한 삶을 사는 데 필요한 모든 돈이 당신에게 온다는 데 삶의 아름다움이 있다.

파워와 인간관계

"아무리 평범한 만남일지라도 당신이 줄 수 있는 모든 관심과 친절과 이해와 사랑을 모든 사람에게 베풀어라. 또한 이 과정에서 아무 보상도 생각하지 마라. 당신의 삶은 결코 예전과 같지 않을 것이다."

오그 만디노 (1923-1996)
작가

사랑을 주어야 한다는 것은 당신 삶의 모든 부분에 적용되는 법칙이다. 또한 사랑을 주는 것은 인간관계의 법칙이다. 사랑의 힘은 당신이 누군가를 아는지 모르는지, 어떤 사람이 친구인지 원수인지, 사랑하는 사람인지 생판 낯선 사람인지 상관하지 않는다. 사랑의 힘은 당신이 만나고 있는 사람이 직장 동료인지, 상사인지, 부모인지, 자식인지, 학생인지, 상점에서 당신을 고객으로 대하는 점원인지 상관하지 않는다. 당신은 만나는 한 사람 한 사람에게 사랑을 주거나 아니면 사랑을 주지 않는다. 또한 당신은 준 대로 받는다.

인간관계는 당신이 사랑을 베풀 수 있는 가장 큰 통로다. 따라서 당신이 인간관계에서 베푸는 사랑만으로도 당신의 삶 전체를 바꿀 수 있다. 그러나 다른 한편으로 인간관계는 가장 큰 실패 원인이기도 하다. 인간 관계는 당신이 사랑을 주지 '않는' 가장 커다란 변명이 되기 때문이다!

다른 사람에게 뭔가를 준다는 것은 곧 당신 자신에게 주는 것이다

역사를 통틀어 최고로 깨우친 존재들은 우리에게 다른 사람을 사랑 하라고 말한다. 그저 당신이 착한 사람이 되도록 하기 위해 다른 사람을 사랑하라고 말한 게 아니다. 그들은 당신에게 삶의 비밀을 주고 있었던 것이다! 당신에게 끌어당김의 법칙을 주고 있었던 것이다! 다른 사람을 사랑할 때 '당신은' 놀라운 삶을 살 것이다. 다른 사람을 사랑할 때 '당신 은' 마땅히 누려야 할 삶을 받을 것이다.

"온 율법은 네 이웃 사랑하기를 네 자신같이 하라 하신 한 말씀에서 이루어졌나니."

성 바울 (5-67년경)
그리스도의 사도, 「갈라디아서」 5장 14절

친절, 격려, 지지, 감사, 그 밖의 모든 좋은 감정을 통해 다른 사람에게 사랑을 주라. 그러면 그 사랑은 당신에게로 다시 돌아와 당신의 건강, 돈, 행복, 일 등 삶의 모든 영역에 사랑을 불러들이면서 저절로 늘어난다.

비판, 성냄, 초조, 그 밖의 모든 나쁜 감정을 통해 다른 사람에게 부정성을 주라. 그러면 당신은 그 부정성을 돌려받을 것이다. 확실히 보장한다! 또한 부정성이 당신에게로 돌아올 때에는 당신 삶의 나머지 영역에 영향을 미치는 더 많은 부정성을 끌어당기면서 저절로 늘어난다.

상대방의 문제가 아니다

당신이 무엇을 주고 있었는지 지금 바로 당신의 인간관계를 보면 알 수 있다. 현재 좋은 인간관계를 맺고 있다면 당신은 부정성보다 사랑과 감사를 더 많이 주고 있다는 의미다. 현재 인간관계가 잘 풀리지 않거나 어려움에 처해 있다면 당신은 자신도 모르게 사랑보다 부정성을 더 많이 주고 있다는 의미다.

상대방 때문에 좋은 인간관계가 되거나 나쁜 인간관계가 된다고 생각하는 사람들이 있다. 그러나 삶은 그렇지 않다. 당신은 사랑의 힘에게 "나는 상대방이 내게 사랑을 줄 때에만 사랑을 줄 거야!"라고 말할 수 없다. 당신이 먼저 주지 않는 한 삶에서 아무것도 받을 수 없다! 당신이 무엇을 주든 준 대로 받는다. 그러므로 결코 상대방과 관련된 문제가 아니다. 모두 당신과 관련된 문제다! 당신이 무엇을 주는지, 무엇을 느끼는지와 관련된 문제다.

어떤 인간관계든 상대에게서 당신이 사랑하고 감사하고 고마워할 점을 찾음으로써 지금 바로 관계를 바꿀 수 있다. 부정적인 것에 눈길을 주기보다 당신이 좋아하는 것을 찾기 위해 의도적으로 노력을 기울인다면 기적이 일어날 것이다. 믿기 힘든 일이 상대방에게 생긴 것처럼 여겨질 것이다. 그러나 믿기지 않는 것이 사랑의 힘이다. 사랑의 힘은 부정성을 녹여 없애는데, 인간관계에 들어 있는 부정성도 그중 하나다. 당신은 그저 상대에게서 당신이 좋아하는 것을 찾음으로써 사랑의 힘을 이용하기만 하면 된다. 그러면 인간관계에서 모든 것이 바뀔 것이다!

나는 사랑의 파워를 통해 회복된 인간관계 이야기를 수백 가지 알고 있는데, 사랑의 파워를 이용하여 파탄 난 결혼 생활을 회복시킨 여자의 특별한 이야기가 단연 돋보인다. 이 여자는 남편에게 모든 사랑을 잃은 상태였다. 사실 그녀는 남편 곁에 있는 것조차 참을 수 없을 지경이었다. 남편은 매일 불평을 했고, 늘 아팠다. 또한 매일 우울하고 화를 냈으며 아내와 네 자녀에게 말 그대로 폭력을 휘둘렀다.

사랑을 주는 행위가 어떤 파워를 지니는지 깨닫자 여자는 그 즉시 결혼 생활의 온갖 문제에도 불구하고 행복해지겠다고 마음먹었다. 집안 분

위기가 순식간에 밝아졌고 자녀들과의 관계도 좋아졌다. 그 다음 이 여자는 사진 앨범을 훑어보면서 처음 결혼했을 때 찍은 남편의 사진을 보았다. 여자는 그중에서 몇 장을 꺼내어 매일 볼 수 있도록 책상에 붙여 놓았다. 이렇게 하는 동안 놀라운 일이 벌어졌다. 남편을 처음 만났을 때 느꼈던 사랑을 다시 느꼈으며, 이렇게 사랑이 돌아오는 것을 느끼는 동안 그녀 안에서 사랑의 느낌이 급격하게 커지기 시작했다. 마침내 여자는 생애 그 어느 때보다 남편을 사랑하게 되었다. 여자의 사랑이 커지면서 남편의 우울증과 화가 사라졌고 건강도 회복되기 시작했다. 가능하면 남편에게서 멀리 떨어져 있고 싶었던 여자는 이제 가능하면 같이 있고 싶은 결혼 생활을 누리게 되었다.

사랑은 자유를 의미한다

인간관계에서 사랑을 주는 행위와 관련해서 까다로운 부분이 있는데, 이로 인해 많은 사람이 마땅히 누려야 할 삶을 누리지 못했다. 까다롭게 여겨지는 이유는 오직 한 가지, 다른 사람에게 사랑을 주는 것이 무엇을 의미하는지 잘못 이해했기 때문이다. 다른 사람에게 사랑을 준다는 것이 무엇을 의미하는지 정확하게 알기 위해서는 다른 사람에게 사랑을 주지 '않는' 것이 무엇을 의미하는지 이해해야 한다.

다른 사람을 바꾸려 하는 것은 사랑을 주는 것이 '아니다'! 당신이 다른 사람에게 무엇이 최선인지 안다고 생각하는 것은 사랑을 주는 것이 '아니다'! 당신이 옳고 다른 사람이 틀렸다고 생각하는 것은 사랑을 주는 것이 '아니다'! 비판하고, 비난하고, 불평하고, 잔소리하고, 트집 잡는 것은 사랑을 주는 것이 '아니다'!

> "미움은 미움으로 정복되지 않는다. 미움은 사랑으로 정복된다. 이는 영원한 법칙이다."

고타마 붓다 (기원전 563-483)
불교 창시자

내가 전해 받은 이야기 가운데 우리가 인간관계에서 상대를 어떻게 대해야 할지 보여 주는 일화를 들려주고자 한다. 한 남자의 아내가 자녀까지 데리고 남자 곁을 떠났다. 남자는 황폐해졌고 아내를 비난했으며 아내의 결정을 받아들이려 하지 않았다. 남자는 아내에게 계속 연락하면서, 아내의 마음을 돌리기 위해서라면 무슨 일이든지 하겠다고 결심했다. 남자는 자신의 행동이 아내와 가족을 사랑하는 마음에서 나온 거라고 생각했을 테지만 그의 행동은 사랑이 아니었다. 남자는 결혼 생활이 끝난 게 아내 때문이라고 비난했다. 남자는 아내가 틀렸고 자신이 옳다고 믿었다. 남자는 아내가 자기 자신을 위해 내린 결정을 받아들이려 하지 않았다. 남자는 아내를 만나려는 시도를 그만두려 하지 않았고 결국 체포되어 감옥에 보내졌다.

마침내 남자는 원하는 것을 선택할 수 있는 '아내의' 자유를 인정하지 않은 것은 사랑을 주는 게 아니었고, 그렇기 때문에 '자신의' 자유마저 잃게 되었다는 것을 깨달았다. 끌어당김의 법칙은 사랑의 법칙이다. 이 법칙을 깨뜨려서는 안 된다. 이 법칙을 어기면 당신이 망가진다.

내가 이 이야기를 들려주는 이유는 친밀한 관계를 끝내는 데 어려움을 겪는 사람들이 많기 때문이다. 원하는 대로 선택할 수 있는 다른 사람의 권리를 부정해서는 안 된다. 이는 사랑을 주는 게 아니기 때문이다. 이는 마음이 찢기듯 아픈데도 삼켜야 하는 쓰디쓴 알약 같은 것이지만 모든 사람이 지닌 선택의 자유와 권리는 존중되어야 한다. 당신이 다른 사람에게 준 그대로 당신 자신이 돌려받으며, 다른 사람이 가진 선택의 자유를 부정하면 당신의 자유를 부정당하는 부정적인 상황을 끌어당길 것이다. 아마 당신에게 들어오는 돈의 흐름이 막히거나 건강이 악화되거나 당신이 하는 일이 하락세로 돌아서는 등 당신의 자유에 영향을 미치는 일들이 생길 것이다. 끌어당김의 법칙에는 '다른 사람'이 없다. 당신이 다른 사람에게 뭔가를 줄 때 이는 곧 당신 자신에게 주는 것이다.

다른 사람에게 사랑을 준다고 해서 그들이 당신을 함부로 깔아뭉개거나 어떤 식으로든 학대하게 내버려 두어서는 안 된다. 그런 것은 사랑을 주는 게 아니다. 다른 사람이 당신을 이용하도록 허용하면 그 사람에게 도움이 되지 않으며 당신에게도 결코 도움이 되지 않는다. 사랑은 강인하다. 우리는 사랑의 법칙을 통해 배우고 성장하며, 그 결과를 감당하는 것도 이런 배움의 일환이다. 그러므로 다른 사람이 당신을 이용하거나 학대하도록 허용하는 것은 사랑이 아니다. 답은 한 가지다. 최대한 높이 좋은 감정의 주파수대로 옮겨 가라. 그러면 사랑의 힘이 당신을 '대신해서' 상황을 해결할 것이다.

> "나를 화나게 하는 사람이 있을 때마다 나는 내 영혼을 아주 높이 고양시켜서 그런 불쾌한 행동이 내 영혼에 닿지 못하도록 노력한다."
>
> **르네 데카르트** (1596-1650)
> 수학자이자 철학자

인간관계의 비밀

삶은 당신이 좋아하는 것을 선택할 수 있도록 당신 앞에 모든 것을 보여 준다. 당신 앞에 온갖 사람들을 데려다 놓는 것도 삶이 주는 선물이다. 그리하여 당신은 그 가운데 사랑하는 사람을 선택할 수 있고, 좋아하지 않는 사람을 외면할 수 있다. 좋아하지 않는 사람이 지닌 이런저런 성향은 애초부터 당신이 사랑의 마음을 가질 만한 것이 아니었다. 어떠한 감정도 주지 말고 그냥 고개를 돌려라.

누군가에게 마음에 들지 않는 점이 있을 때 이를 외면하면 당신은 편안한 마음 상태가 될 수 있고, 삶이 당신에게 선택권을 주었다는 걸 알게 된다. 상대가 틀렸다는 것을 입증하기 위해 논쟁을 벌이거나, 상대를 비판하거나, 상대를 비난하지 않는다. 또한 당신이 옳다고 생각하면서 상대를 바꾸려 하지도 않는다. 이런 것은 결코 사랑을 주는 게 아니기 때문이다. 정말 최고다!

"인자한 자는 자신의 영혼을 이롭게 하고 잔인한 자는 자신의 몸을 해롭게 하느니라."

솔로몬 왕 (기원전 10세기경)
성경에 나오는 이스라엘의 왕, 「잠언」 11장 17절

사랑의 감정 주파수대에 있을 때에는 당신과 같은 감정 주파수대에 있는 사람들만 당신 삶 속에 들어올 수 있다.

정말로 행복한 날이 있는가 하면, 초조한 날도 있고 슬픈 날도 있다는 걸 당신은 알고 있다. 당신은 여러 가지 모습을 지닐 수 있다. 당신과 관계를 맺고 있는 사람 역시 행복하거나, 초조하거나, 슬퍼하는 여러 가지 모습을 보일 수 있다. 틀림없이 그들에게서 여러 가지 모습이 보이겠지만 이 모든 모습이 그 사람이다. 당신이 행복할 때에는 다른 사람의 행복한 모습만이 당신 삶 속에 들어올 수 있다. 그러나 다른 사람의 행복한 모습을 만나려면 우선 '당신이' 행복해야 한다!

그렇다고 다른 사람의 행복까지 당신이 책임져야 한다는 의미는 아니다. 자기 삶과 행복은 모두 자기 책임이기 때문이다. 이 말은 곧 당신 스스로 행복해지는 것 말고는 달리 할 일이 없다는 의미다. 나머지 일은 끌어당김의 법칙이 알아서 할 것이다.

"행복은 우리 자신에게 달려 있다."

아리스토텔레스 (기원전 384-322)
그리스 철학자이자 과학자

개인감정 트레이너

서로 대립하거나 잘 풀리지 않는 인간관계를 완화시키는 한 가지 방법은 그 사람들이 당신의 "개인감정 트레이너"라고 상상하는 것이다! 사랑의 힘은 당신 앞에 완벽한 진용을 갖춘 개인감정 트레이너 군단을 일상적인 만남으로 위장시켜 데려다 놓는데, 이들은 모두 당신에게 사랑을 선택하는 법을 훈련시킨다!

때로 부드러운 개인감정 트레이너도 있을 수 있다. 이들은 쉽게 사랑할 만한 상대이며 당신을 심하게 몰아치지도 않는다. 그런가 하면 혹독한 개인감정 트레이너도 있다. 이들은 몇몇 운동 트레이너가 그러듯이 당신을 한계선까지 몰고 간다. 그러나 이들은 당신이 그 어떤 상황에서도 사랑을 선택하도록 더욱 강하게 만들어 준다.

개인감정 트레이너는 당신을 시험하기 위해 온갖 상황과 전술을 이용한다. 그러나 모든 시련은 당신이 사랑을 선택하고 부정성이나 비난을 외면하도록 만들기 위해 당신 앞에 주어진 것임을 기억해야 한다. 당신이 시험에 걸려들어 이들이나 그 밖의 다른 사람을 판단하도록 만드는 트레이너도 있다. 하지만 그런 덫에 걸려들지 마라. 판단은 부정적인 것이며 사랑을 주는 게 아니다. 그러므로 어떤 사람이나 대상에게서 좋은 점을 찾아 사랑할 수 없다면 그냥 외면하라.

복수심, 분노, 증오를 느끼도록 도발함으로써 당신을 시험하는 트레이너도 있을 것이다. 그럴 때에는 시선을 다른 데로 돌려 당신이 좋아하는 것을 찾아라. 심지어 죄의식이나 쓸모없다는 자괴감과 두려움으로 당신을 내려치는 트레이너도 있을 수 있다. 그런 것에 말려들지 마라. 어떤 종류의 부정성도 사랑이 될 수 없다.

"미움은 삶을 마비시키고 사랑은 삶을 해방시킨다.
미움은 삶을 혼란에 빠뜨리고 사랑은 삶을 조화로운 상태로 만든다.
미움은 삶을 어둡게 하고 사랑은 삶을 밝게 비춘다."

마틴 루터 킹 주니어 (1929-1968)
침례교 목사이자 인권운동 지도자

살면서 만나는 사람들을 당신의 개인감정 트레이너라고 여기면 어떤 어려운 인간관계도 원만하게 풀어 가는 데 도움이 될 것이다. 혹독한 트레이너는 당신을 더욱 강한 사람으로 만들고, 무슨 일이 있더라도 사랑을 선택하도록 만든다. 그런데 이 과정에서 그들이 당신에게 보내는 메시지가 하나 있다. 바로 당신이 부정적 감정 주파수대에 들어가 있었다는 것, 그러므로 기분을 좋게 만들어 거기서 벗어나야 한다는 메시지다! 당신이 똑같은 부정적 감정 주파수대에 먼저 들어가 있지 않은 이상 아무도 당신 삶에 들어와 당신에게 부정적 영향을 미치지 못했을 것이다. 사랑의 주파수대에 있다면 아무리 혹독하고 부정적인 사람이라도 당신에게 영향을 미치지 않을 것이며 그럴 수도 없다!

당신이 다른 누군가에게 개인감정 트레이너가 되어 자기가 맡은 일을 하는 것처럼, 모든 사람들이 그저 자기 일을 하는 것뿐이다. 적은 없으며 다만 훌륭한 개인감정 트레이너가 있을 뿐이다. 그리고 당신을 멋진 사람으로 만들어 주는 몇몇 혹독한 개인감정 트레이너가 있을 뿐이다.

끌어당김의 법칙은 달라붙는 끈끈이다

끌어당김의 법칙은 달라붙는 끈끈이다. 다른 사람의 행운을 기뻐하면 그들의 행운이 당신에게 달라붙는다! 다른 사람이 지닌 장점을 알아보거나 감탄하면 당신 자신에게도 그런 특성이 달라붙는다. 다른 누군가가 지닌 부정적인 점에 대해 생각하거나 이야기하면 당신에게도 그런 부정적인 점이 달라붙고 그것들을 당신의 삶 속으로 끌어들이게 된다.

끌어당김의 법칙은 '당신이' 느끼는 감정에 반응한다. 당신이 무엇을 주든 준 대로 받는다. 그러므로 어떤 사람, 상황, 사건에 대해 딱지를 붙이면 이는 당신에게 딱지를 붙이는 셈이다. 당신도 그런 평가를 받게 되는 것이다.

자, 그렇다면 이건 아주 멋진 소식이다. 당신이 다른 사람에게서 마음에 드는 점을 찾고 그것을 향해 온 마음을 다해 "네."라고 말하면 당신이 좋아하고 원하는 모든 것이 당신에게 달라붙는다는 의미이기 때문이다! 세상은 당신 앞에 놓인 카탈로그다. 당신의 사랑이 지닌 파워를 이해한다면 다른 사람에게서 마음에 드는 점을 모두 찾아내는 것이 당신의 주된 일이 된다. 이는 당신의 삶 전체를 바꾸는 가장 손쉽고 훌륭한 방법이다. 이 일은 삶의 힘겨움과 고난을 물리친다. 당신은 그저 다른 사람에게서 마음에 드는 것을 찾아내고 마음에 들지 않는 것이 있을 때에는 거기에 어떤 감정도 주지 않은 채 외면하기만 하면 된다. 정말 쉽지 않은가?

"좋은 생각을 품고서 첫 번째 걸음을 내딛고, 좋은 말을 하면서 두 번째 걸음을 내디디며, 좋은 행동을 하면서 세 번째 걸음을 내딛는 동안 나는 천국에 들어왔다."

아르다 비라프 경전 (6세기경)
조로아스터교 경전

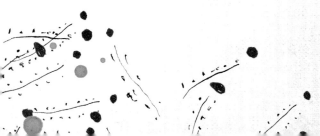

뒷공론도 달라붙는다

뒷공론은 얼핏 아무 해가 없는 것처럼 보인다. 하지만 뒷공론은 사람들의 삶에 많은 부정적인 것을 가져온다. 뒷공론은 사랑을 주는 행동이 아니다. 뒷공론은 부정성을 내보내며 이를 돌려받는 것은 바로 당신이다. 뒷공론은 그 대상이 되는 사람에게 아무 해가 되지 않는다. 뒷공론은 그것을 하는 사람들을 해친다!

가족이나 친구와 대화할 때 이들이 다른 누군가의 부정적인 말이나 행동에 대해 이야기한다면 이는 뒷공론을 하는 것이며, 부정성을 내보내는 것이다. 이들의 말에 귀 기울이면 당신 역시 부정성을 내보내게 된다. 당신은 감정을 느끼는 존재이며 부정적인 말을 들으면 반드시 기분이 급격하게 나빠지기 때문이다. 점심시간에 직장 동료와 대화를 나누면서 다른 누군가에 대해 부정적인 이야기를 한다면 당신은 뒷공론을 하면서 부정성을 내보내고 있는 것이다. 부정적인 이야기를 하거나 들으면서 동시에 기분 좋은 감정을 느낄 수는 없다!

터놓고 말하자면 다른 사람의 일에 쓸데없이 간섭하지 않도록 유의해야 한다. 다른 사람의 일이 우리에게 들러붙기 때문이다! 당신 삶에 그런 일이 일어나기를 바라지 않는 한 아무 감정도 느끼지 말고 그냥 외면하라. 이렇게 하는 것이 당신 자신에게 좋을 뿐 아니라, 뒷공론이 자기 삶에 미칠 부정적 영향을 깨닫지 못한 다른 사람에게도 좋은 일이다.

당신이 뒷공론을 하고 있거나 뒷공론에 귀 기울이고 있다는 걸 알게 되면 말 중간을 끊고 "하지만 나는 ……한 점을 고맙게 생각해."라고 말하면서 뒷공론 대상이 되었던 사람의 좋은 점을 문장 가운데 채워 넣어라.

"나쁜 생각을 하면서 말하거나 행동하는 사람에게는 고통이 따라다닌다. 순수한 생각을 하면서 말하거나 행동하는 사람에게는 행복이 그림자처럼 따라다닌다."

고타마 붓다 (기원전 563-483)
불교 창시자

당신의 반응에 달려 있다

마음에 드는 것과 마음에 들지 않는 것을 선택할 수 있도록 삶은 당신 앞에 모든 사람과 상황을 보여 준다. 당신이 뭔가에 반응을 보일 때 감정을 느끼게 되는데, 이 과정에서 당신은 선택을 한다! 기분 좋은 반응이든 기분 나쁜 반응이든 당신의 반응은 당신에게 달라붙으며, 사실상 그런 감정을 더 많이 원한다고 말하는 셈이다! 그러므로 인간관계에서 당신이 어떻게 반응하는지 지켜보아야 한다. 좋은 감정으로 반응하든 나쁜 감정으로 반응하든 당신은 그런 감정을 내보내고 있으며, 그런 감정을 불러일으키는 동일한 상황을 더 많이 맞게 된다.

누군가가 한 말이나 행동 때문에 당혹감을 느끼거나 불쾌하거나 화가 난다면 어떻게든 그런 부정적 감정을 곧바로 바꿔 보려고 노력하라. 부정적인 반응을 보였다는 사실을 깨닫기만 해도 곧바로 부정적 감정의 파워를 빼앗고 멈출 수 있다. 당신이 부정적 감정에 사로잡혀 있다고 느낀다면 밖으로 나가 기분이 한결 좋아질 때까지 당신이 좋아하는 것들을 하나씩 하나씩 찾아보면서 얼마간 시간을 보내라. 좋아하는 음악을 듣거나, 좋아하는 것을 상상하거나, 좋아하는 일을 하는 등 당신이 좋아하는 것을 이용해 기분을 좋게 만들 수 있다. 당신에게 당혹감을 안겨 준 사람에게서 마음에 드는 점을 찾아 이에 대해 생각할 수도 있다. 쉽지 않은 일이지만, 그렇게 할 수만 있다면 가장 빨리 기분을 좋게 만들 수 있다. 이는 또한 자신의 감정을 다스릴 줄 아는 사람이 되는 가장 빠른 방법이다!

"자기 자신을 다스릴 줄 아는 사람은 기쁨을 만들어 낼 수 있는 것처럼 슬픔을 끝낼 수도 있다. 나는 감정에 휘둘리고 싶지 않다. 나는 감정을 이용하고, 감정을 즐기고, 감정을 지배하고 싶다."

오스카 와일드 (1854-1900)
작가이자 시인

삶의 모든 부정적 상황은 바꿀 수 있지만 나쁜 감정으로는 부정적 상황을 바꿀 수 없다. 상황을 대하는 태도가 달라져야 한다. 당신이 계속 부정적인 반응을 보인다면 나쁜 감정이 부정성을 확대하고 몇 배로 키울 것이다. 당신이 좋은 감정을 내보내면 긍정성이 확대되고 몇 배로 늘어난다. 특정 상황이 어떻게 긍정적인 상황으로 바뀔 수 있는지 도무지 상상이 되지 않더라도 상황은 바뀔 수 있다! 사랑의 힘이 언제나 길을 찾는다.

사랑은 방패막이다

다른 사람의 부정성이 지닌 파워를 빼앗고 그에 영향을 받지 않으려면 모든 사람의 주위에 저마다 형성되어 있는 자기장을 기억해야 한다. 사랑의 자기장, 기쁨의 자기장, 행복의 자기장, 감사의 자기장, 신 나는 기분의 자기장, 정열의 자기장, 그 밖에 모든 좋은 감정의 자기장이 있다. 그런가 하면 분노의 자기장, 실망의 자기장, 좌절의 자기장, 미움의 자기장, 복수심의 자기장, 두려움의 자기장, 그 밖에 모든 부정적 감정의 자기장도 있다.

분노의 자기장으로 둘러싸인 사람은 결코 기분 좋은 감정을 느끼지 않는다. 그러므로 그들 곁에 가면 십중팔구 그들의 분노가 당신에게 미칠 것이다. 그들에게 당신 마음을 상하게 하려는 의도가 있는 것은 아니지만 분노의 자기장을 통해 세상을 보는 사람에게는 좋은 것이 보이지 않는다. 그들 눈에는 오로지 그들을 화나게 하는 것만 보인다. 또한 분노만 보이기 때문에 그들 앞에 맨 처음 보이는 사람에게 화를 내고 분노를 퍼붓는다. 사랑하는 사람을 상대로 그러는 경우도 자주 있다. 익숙한 이야기처럼 들리지 않는가?

정말 멋진 기분이 들 때 자기장의 힘은 어떤 부정성도 뚫고 들어올 수 없는 방패를 만든다. 그러므로 누가 어떤 부정성을 당신에게 퍼붓든 상관없으며, 결코 부정성이 당신에게 닿지 못한다. 또한 당신에게 아무 영향도 미치지 않은 채 당신의 감정 자기장에 부딪혀 바로 튕겨 나간다.

다른 한편으로 당신에게 부정적인 말을 퍼붓는 사람이 있고 그가 하는 말에 대해 뭔가를 느낀다면, 부정성이 당신 감정의 자기장을 뚫고 들어왔기 때문에 기분이 나빠졌다는 것을 알 것이다. 이럴 때에는 오로지

한 가지 방법밖에 없다. 당신 자신에게 좋은 기분을 되찾아 줄 수 있도록 그 자리를 정중하게 벗어날 구실을 찾아라. 두 가지 부정적 자기장이 만나면 둘 다 급속도로 증폭되며, 그런 상태에서는 도저히 좋은 일이 생길 수 없다. 당신도 이런 일을 겪어 보아서 알 것이다. 두 가지 부정적 자기장이 함께 있는 것은 결코 아름다운 장면이 아니다!

　　"흙탕물은 가만히 두면 깨끗해진다."

노자 (기원전 6세기경)
도교 창시자

　슬프거나, 실망하거나, 불만스럽거나, 그 밖에 다른 부정적 감정을 느낄 때 당신은 그런 감정의 자기장을 통해 세상을 보며, 세상은 당신에게 슬프고, 실망스럽고, 불만스럽게 보일 것이다. 나쁜 감정의 자기장을 통해서 볼 때에는 결코 좋은 것이 보이지 않는다. 당신을 둘러싼 부정적 자기장이 더 많은 부정성을 자기 자신에게 끌어당길 뿐만 아니라, 당신이 느끼는 감정 상태를 바꾸기 전까지는 문제에서 벗어날 수 있는 출구가 보이지 않는다. 외부 세계의 상황을 바꾸기 위해 동분서주하면서 뛰어다니는 것보다는 당신의 감정 상태를 바꾸는 일이 더 쉽다. 이 세상의 어떤 물리적 행동도 상황을 바꾸지 못한다. 당신의 감정을 바꾸어라. 그러

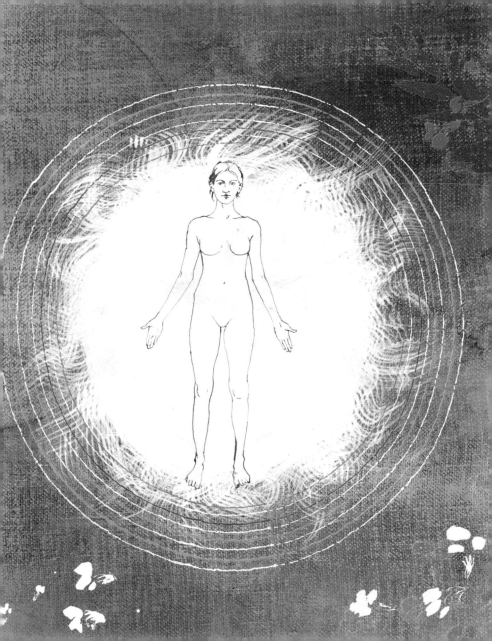

면 외부 상황이 바뀔 것이다!

"파워는 우리 안에서 생긴다. 그러나 먼저 주어야 받을 수 있다."

찰스 해낼 (1866-1949)
신사상 운동 저자

기쁨의 자기장으로 둘러싸인 사람이 있을 때 당신은 방 저편에서도 그 기쁨이 당신에게까지 전해지는 것을 느낄 수 있다. 항상 기분 좋은 사람은 주위에 사람들이 모이고 인기가 있다. 그를 둘러싸고 있는 기쁨의 자기장이 강한 자기력을 띠면서 모든 사람과 사물을 그에게로 끌어당긴다.

사랑을 많이 주고 기분이 좋을수록 당신의 자기장은 더 강한 자기력을 띠고 더 멀리 확장되어 당신이 좋아하는 사람과 사물을 당신에게로 끌어당긴다! 이런 장면을 상상하라!

사랑은 모든 것을 이어 주는 파워다

"세상 모든 사람이 서로 사랑할 때 강한 자가 약한 자를 억누르지 않을 것이며, 다수가 소수를 억압하지 않을 것이며, 부자가 가난한 자를 비웃지 않을 것이며, 명예로운 자가 비천한 자를 업신여기지 않을 것이며 교활한 자가 순박한 자를 속이지 않을 것이다."

묵자 (기원전 470년경-391년경)
중국 철학자

우리는 매일 좋은 감정을 통해 다른 사람에게 사랑을 줄 수 있는 기회를 갖는다. 당신이 행복을 느끼는 동안에는 누구를 만나든 틀림없이 그에게 긍정성과 사랑을 줄 것이다. 당신이 사랑을 줄 때 사랑이 당신에게 돌아온다. 그러나 이때 사랑은 당신이 알 수 있는 것보다 훨씬 더 멋진 방식으로 돌아온다.

당신이 다른 사람에게 사랑을 주고 그 사랑이 그에게 아주 긍정적인 영향을 미쳐서 그가 또 다른 누군가에게 사랑을 줄 수 있다. 이런 식으로 계속되어 긍정적 영향을 받은 사람이 아무리 늘어난대도, 또한 당신의 사랑이 아무리 멀리까지 퍼진대도 그 사랑이 '모두' '당신에게' 돌아온다. 당신이 맨 처음 사람에게 준 사랑을 돌려받을 뿐 아니라, 그로 인해 영향을 받은 모든 사람으로부터 사랑을 돌려받는다! 또한 사랑은 긍정적인 상황, 긍정적인 사람, 긍정적인 일로 변신하여 당신에게 돌아온다.

다른 한편 당신이 다른 사람에게 '부정적인' 영향을 아주 강하게 미쳐서 그가 다시 또 다른 누군가에게 부정적인 영향을 미친다면 그 부정성이 모두 당신에게 돌아온다. 돈, 일, 건강, 인간관계에 영향을 끼치는 부정적인 상황의 형태로 당신에게 돌아온다. 다른 사람에게 무엇을 주든 그것은 당신 자신에게 주는 것이다.

"당신이 외부의 어떤 것 때문에 고통 받는다면 이 고통은 외부의 대상 자체에서 생긴 것이 아니라 그것에 대한 당신의 평가에서 생긴 것이다. 또한 당신은 언제든지 이 평가를 취소할 힘을 갖고 있다."

마르쿠스 아우렐리우스 (121-180)
로마 황제

당신이 열광하고, 행복을 느끼고, 유쾌할 때 이런 좋은 감정은 당신이 만나는 모든 사람에게 영향을 미친다. 상점이나 버스, 엘리베이터에서 그저 잠깐 만났더라도 당신의 좋은 감정이 그 사람에게 뭔가 변화를 만들어 냈다면 그 짧은 순간이 당신 삶에 미치는 영향은 거의 헤아릴 수 없을 정도다.

"기억하라. 작은 친절행위 같은 것은 없다. 모든 행위는 파문을 일으키며 여기에 논리적 끝은 없다."

스콧 애덤스 (1957년 생)
만화가

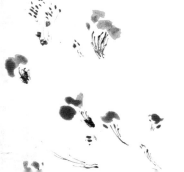

　사랑은 모든 인간관계의 해결책이며 해답이다. 부정성으로는 인간관계를 개선할 수 없다. 인간관계에 창조 과정을 이용하라. 사랑을 받기 위해 사랑을 주라. 인간관계에 파워의 열쇠를 이용하라. 당신이 좋아하는 것을 알아보고, 당신이 좋아하는 것의 목록을 만들고, 당신이 좋아하는 것에 대해 말하고, 당신이 좋아하지 않는 것을 외면하라. 인간관계가 아무 문제없이 완벽하다고 상상하라. 당신이 상상할 수 있는 가장 높은 수준에서 상상하라. 이런 인간관계를 가진 걸 온 마음으로 느껴라. 인간관계에서 좋은 기분을 느끼기 힘들다면 주변에 있는 다른 모든 것을 사랑하라. 이 인간관계에 들어 있는 부정적인 것에 더 이상 주목하지 마라!

　사랑은 당신을 위해 뭐든지 할 수 있다! 당신은 그저 좋은 기분을 느끼면서 사랑을 주어라. 그러면 인간관계에 보이는 부정성이 사라질 것이다. 인간관계에서 부정적인 상황을 마주할 때마다 항상 해결책은 사랑이다! '어떻게 해야' 해결될지 당신은 알지 못하며, 결코 알 수도 없지만, 기분 좋은 상태를 유지하면서 사랑을 주면 다 해결될 것이다.

　노자, 붓다, 예수, 무함마드, 그리고 모든 위대한 존재가 주는 메시지는 강하고 분명하다. 그것은 사랑이다!

파워의 핵심 포인트

- 당신은 만나는 한 사람 한 사람마다 사랑을 주거나 아니면 사랑을 주지 않는다. 또한 당신은 준 대로 돌려받는다.

- 친절, 격려, 지지, 감사, 그 밖의 모든 좋은 감정을 통해 다른 사람에게 사랑을 주라. 그러면 그것이 당신 삶의 모든 영역에서 몇 배가 되어 당신에게 돌아온다.

- 인간관계에서 부정적인 것을 찾아내기보다 당신이 좋아하는 것을 찾아라. 그러면 믿기 힘든 일이 상대방에게 일어난 것처럼 여겨질 것이다.

- 상대를 변화시키려고 하거나, 상대에게 최선의 것이 무엇인지 당신이 알고 있다고 생각하거나, 당신이 옳고 상대가 틀렸다고 생각한다면 이는 사랑을 주는 게 아니다!

- 비판하고, 비난하고, 불평하고, 잔소리하고, 트집 잡는 것은 사랑을 주는 게 아니다!

- 당신이 행복해야 다른 사람의 행복한 모습을 볼 수 있다!

- 사랑의 힘은 당신 앞에 완벽한 진용을 갖춘 개인감정 트레이너 군단을 일상적인 만남 속에 위장시켜 데려다 놓는데, 이들은 모두 당신에게 사랑을 선택하는 법을 훈련시킨다!

- 당신이 다른 사람에게서 마음에 드는 점을 찾고 그것을 향해 온 마음을 다해 "네."라고 말하면 당신이 좋아하고 원하는 모든 것이 당신에게 달라붙는다!

- 당신은 부정적인 이야기를 하거나 들으면서 동시에 기분 좋은 감정을 느낄 수 없다!

- 마음에 드는 것과 마음에 들지 않는 것을 선택할 수 있도록 삶은 당신 앞에 모든 사람과 상황을 보여 준다. 당신이 뭔가에 반응을 보일 때 감정을 느끼게 되는데, 이 과정에서 당신은 선택을 한다!

- 나쁜 감정으로는 부정적 상황을 바꿀 수 없다. 당신이 계속 부정적인 반응을 보인다면 당신의 나쁜 감정이 부정성을 확대하고 몇 배로 키울 것이다.

- 정말 멋진 기분이 들 때 자기장의 힘은 어떤 부정성도 뚫고 들어올 수 없는 방패를 만든다.

- 외부 세계의 상황을 바꾸기 위해 동분서주하면서 뛰어다니는 것보다 당신의 감정 상태를 바꾸는 일이 더 쉽다. 당신의 감정을 바꾸라. 그러면 외부 상황이 바뀔 것이다!

- 사랑을 많이 주고 기분이 좋을수록 당신의 자기장은 더 강한 자기력을 띠고 더 널리 확장되어 당신이 좋아하는 사람과 사물을 당신에게로 끌어당긴다!

파워와 건강

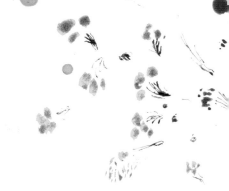

"우리 안에 있는 자연의 힘이야말로 병을 고치는 진정한 치료사다."

히포크라테스 (기원전 460년경–370년경)
서구 의학의 아버지

건강하다는 것은 무엇을 의미하는가? 아프지 않으면 건강하다고 생각할지 모르지만 건강은 단지 그런 것만은 아니다. 그저 괜찮거나, 보통이거나, 좋은 게 없다면 이는 건강한 게 아니다.

건강하다는 것은 어린아이와 같은 기분 상태를 말한다. 어린아이들은 매일 에너지로 넘쳐난다. 몸은 가볍고 유연하며 별로 힘들이지 않고 움직인다. 발걸음도 가볍다. 머리가 맑으며 행복하고 걱정이나 스트레스가 없다. 어린아이들은 매일 밤 깊고 편안한 잠을 자며 아침이면 마치 신제품처럼 완전히 새로운 기분으로 깨어난다. 새로운 날이 시작되는 데 대해 설렘과 열정을 느낀다. 어린아이를 보면 건강하다는 게 진정 무엇을 의미하는지 알 것이다. 당신은 과거에 이런 기분으로 지냈고, 사실은 지금도 이런 기분으로 지내야 한다!

당신은 대부분의 시간을 이런 기분 상태로 지낼 수 있다. 사랑의 힘을 통해 무한한 건강을 끊임없이 누릴 수 있기 때문이다. 대상이 무엇이든 당신에게 유보되어 있는 시간은 단 1초도 없다. 당신이 무엇을 원하든 당신 것이며 무한한 건강도 이에 포함된다. 그러나 그런 건강을 얻기 위해 당신은 문을 열어야 한다!

무엇을 믿는가?

> "대저 그 마음의 생각이 어떠하면 그 위인도 그러하다."
>
> *솔로몬 왕* (기원전 10세기경)
> 성경 속 이스라엘 왕, 「잠언」 23장 7절

이 말은 이제껏 나온 가장 위대한 지혜의 말씀 중 하나라고 할 수 있는데, "대저 그 마음의 생각이 어떠하면 그 위인도 그러하다."라는 게 무슨 뜻일까?

마음속에 들어 있는 생각이 당신이 믿는 사실이다. 믿음이란 되풀이되는 생각에 강한 감정이 고착되어 있는 것으로, 예를 들면 다음과 같은 것들이다. "나는 감기에 잘 걸려." "위장이 예민해." "살이 잘 안 빠져." "그 것에 알레르기가 있어." "커피를 마시면 잠이 잘 안 와." 이런 것들은 모두 믿음일 뿐 사실이 아니다. 당신이 마음을 정하고, 판단을 내리고, 문을 닫은 뒤 못을 박아 열쇠까지 던져 버리고, 더 이상 협상의 여지를 두지 않을 때 믿음이 생긴다. 그러나 믿음이 당신에게 도움이 되든 아니면 해가 되든, 당신이 사실이라고 믿거나 느끼는 내용은 '앞으로' 당신에게 사실이 될 것이다. 끌어당김의 법칙에서는 당신이 어떤 믿음을 내보내든 그 믿음을 그대로 돌려받는다.

건강에 대해 좋은 믿음을 갖기보다 질병에 대해 두려운 믿음을 가진 사람들이 많다. 세계적으로 질병에 쏠리는 관심을 볼 때 이는 놀라운 일이 아니다. 매일 당신 주변은 온통 질병에 대한 관심으로 가득하다. 질병에 대한 사람들의 두려움이 점차 커져 왔기 때문에 의학의 발전에도 불구하고 질병은 더욱 늘고 있다.

건강과 관련해서 부정적 감정보다 긍정적 감정을 더 많이 느끼는가? 사람은 어쩔 수 없이 질병에 걸릴 수밖에 없다고 믿기보다 평생 동안 건강하게 살 수 있다고 믿는가? 나이가 들면서 몸이 나빠지고 어쩔 수 없이 병에 걸릴 수밖에 없다고 믿을 때 당신은 이런 믿음을 내보내고 있으며, 끌어당김의 법칙은 건강과 몸의 상태와 상황이라는 모습으로 이 믿음을 당신에게 되돌려 준다.

"내가 두려워하는 그것이 내게 임하고 내가 무서워하는 그것이 내 몸에 미쳤구나."

「**욥기**」 3장 25절

믿음이 지닌 파워를 보여 주는 증거가 바로 의학에서 말하는 플라시보 효과다. 한 환자 집단에게는 진짜 약을 먹이거나 치료를 해 주고, 다른 환자 집단에게는 플라시보, 즉 설탕 약을 주거나 가짜 치료를 해 주면서 두 집단 모두에게 어느 쪽이 이들의 증상이나 병을 고치는 치료법인지 말해 주지 않는다. 그런데도 플라시보를 먹은 집단에서 종종 상당한 효과가 나타나고 증상이 줄어들거나 사라지는 일이 일어난다. 통상적으로 볼 때 플라시보 효과의 놀라운 결과는 믿음이 우리 몸에서 어떤 파워를 발휘하는지 여실히 보여 준다. 믿음이나 강한 느낌을 통해 지속적으로 당신 몸에 뭔가를 '보내면' 당신 몸이 이를 그대로 '받을' 것이다.

당신이 느끼는 모든 감정이 몸 전체의 각 세포와 기관 속에 스며든다. 기분 좋은 감정을 느낄 때에는 사랑을 보내며, 몸을 통해 완전한 건강의 활력을 놀라운 속도로 돌려받는다. 기분 나쁜 감정을 느낄 때 긴장으로 인해 신경과 세포가 수축되고 신체의 필수 화학작용이 변하며, 혈관이 수축되고, 호흡이 얕아지는데, 이 모든 것들로 인해 신체기관과 몸 전체의 건강 활력이 줄어든다. 질병이란 스트레스, 걱정, 두려움 등과 같은 부정적 감정으로 인해 신체가 오랜 기간 편안한 상태에 있지 않은 데 따른 결과다.

> "감정이 신체의 모든 세포에 영향을 미친다. 마음과 몸, 정신과 육체는 서로 연결되어 있다."
>
> 토머스 투코 (1931년 생)
> 스포츠 심리학자이자 작가

몸 안의 세계

당신 안에 완전한 세계가 있다! 당신이 자신의 몸에 어떤 파워를 미치는지 깨닫기 위해서는 이 세계를 알아야 한다. 이 세계의 모든 것이 당신의 지배를 받기 때문이다.

몸 안의 모든 세포는 제각기 역할이 있으며 당신에게 생명력을 주기 위한 유일한 목적을 위해 협력하고 있다. 특정 부위나 신체기관을 총지휘하는 세포가 있으며, 이 세포들은 심장, 뇌, 간, 신장, 폐 등과 같은 해당 부위의 모든 활동 세포를 관리하고 지휘한다. 각 기관의 지휘 세포는 같은 기관에서 활동하는 다른 모든 세포를 관리하고 지시하며, 질서와 조화를 확보하여 기관이 완벽하게 기능하도록 한다. 순찰 세포는 십만

킬로미터에 달하는 혈관을 돌아다니면서 질서와 평화를 유지한다. 피부에 상처가 생기는 등 문제가 발생하면 순찰 세포가 즉시 경보를 울리고 적절한 복구 팀이 재빨리 그 부위로 간다. 상처의 경우에는 혈액 응고 팀이 가장 먼저 현장에 도착해서 혈액의 흐름을 막는다. 이들의 작업이 끝나면 조직과 피부 팀이 들어가 해당 부위에 복구 작업을 벌이면서 망가진 조직을 손보고 피부를 봉합한다.

감염 세균이나 바이러스 등 침입자가 몸속에 들어오면 곧바로 기억 세포가 침입자의 형태를 뜬다(스냅사진을 찍는다). 그런 다음 이전 침입자 중에 일치하는 게 있는지 기록을 대조한다. 일치되는 것을 찾으면 기억 세포가 관련 공격 팀에게 이 침입자를 파괴하도록 통지한다. 일치되는 것이 없는 경우에는 기억 세포가 침입자에 대한 새로운 파일을 만드는 한편 '모든' 공격 팀이 소환되어 침입자를 파괴하러 간다. 이 침입자를 파괴하는 과정에서 기억 세포는 어느 공격 팀이 성공을 거두었는지 파일에 기록한다. 이후 침입자가 다시 들어올 때 기억 세포는 이 침입자가 누구인지, 어떻게 처리할지 정확하게 파악할 것이다.

어떤 이유로 몸의 세포 하나가 예전과 다른 행동을 하면서 더 이상 몸에 이로운 활동을 하지 못할 경우 순찰 세포는 구조 팀에게 알려서 얼른 세포를 치료하도록 한다. 세포의 특정 화학물질을 치료해야 하는 경우에는 당신 몸 안에 타고난 제약공장에서 이 물질을 구한다. 당신 몸 안에는 완벽한 제약공장이 있으며 일반 제약회사에서 생산되는 모든 치료 물질이 이 제약공장에서 만들어진다.

모든 세포는 생존 기간에 하루 24시간, 일주일에 7일 팀을 이루어 활동한다. 모든 세포에게 주어진 목적은 오로지 몸의 생명력과 건강을 유지하는 일이다. 당신 몸 안에는 100조 개나 되는 세포가 있다. 이 100,000,000,000,000개나 되는 세포가 당신에게 생명력을 주기 위해 쉬지 않고 일한다! 100조 개의 세포가 당신의 지배하에 있으며 당신은 생각과 감정, 믿음을 통해 이 세포들을 지배하고 지시를 내린다.

당신이 몸에 대해 어떤 믿음을 갖고 있든 세포도 그와 똑같이 믿는다. 당신이 생각하고 느끼고 믿는 것에 대해 세포는 어떤 의문도 품지 않는다. 사실 세포는 당신이 생각과 감정, 믿음을 통해 하는 이야기를 듣고 있다.

"나는 여행할 때마다 늘 시차 적응 문제가 있어."라고 생각하거나 말할 때 당신의 세포는 "시차 적응 문제"를 명령으로 받아들이고 이 지시를 실행한다. 비만이라고 생각하거나 느끼면 세포는 비만을 지시로 받아들인다. 세포들은 당신의 지시에 따라 몸이 비만 상태를 유지하도록 한다. 병에 걸릴지 모른다고 두려워하면 세포는 질병 메시지를 받아들이고 즉시 바쁘게 움직이며 질병 증상을 만들어 낸다. 세포가 당신의 모든 명령에 반응하는 것은 끌어당김의 법칙이 당신 몸 안에서 작용하기 때문이다.

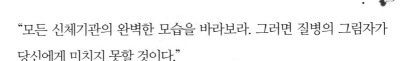

"모든 신체기관의 완벽한 모습을 바라보라. 그러면 질병의 그림자가
당신에게 미치지 못할 것이다."

로버트 콜리어 (1885~1950)
신사상 운동 저자

당신이 원하는 것은 무엇인가? 좋아할 만한 것은 무엇인가? 그 대답
이 바로 당신 몸에 보내는 메시지다. 세포는 절대복종하면서 당신을 섬
기는 가장 충직한 신하다. 그러므로 당신이 무엇을 생각하든, 무엇을 느
끼든 그것이 당신 몸의 법이 된다. 어린 시절과 똑같이 기분 좋은 상태
를 느끼고 싶다면 세포에게 그렇게 명령을 내려라. "오늘 나는 기분이 최
고야." "에너지가 넘쳐흘러." "완벽한 시력을 갖고 있어." "먹고 싶은 건 뭐
든 먹으면서 이상적인 몸무게를 유지할 수 있어." "매일 밤 아기처럼 잠을
자." 당신은 왕국의 지배자이며 당신이 생각하고 느끼는 것은 왕국의 법,
즉 당신 몸 안의 법이 된다.

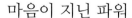

마음이 지닌 파워

"어떤 의미에서 인간은 우주를 축소한 소우주다. 그러므로 인간이
무엇인가 하는 문제는 우주를 밝혀내는 단서다."

데이비드 봄 (1917-1992)
양자물리학자

몸의 내부는 태양계와 우주를 그대로 옮겨 놓은 지도다. 심장은 태양
이며 신체조직의 중심을 이룬다. 신체기관은 행성이다. 행성이 태양에 의
존하여 균형과 조화를 이루듯이 신체의 모든 기관도 심장에 의존하여
균형과 조화를 이룬다.

캘리포니아에 있는 하트매스 연구소의 과학자들이 밝혀낸 바에 따르
면 사랑과 감사, 고마움을 느낄 때 면역체계가 향상되며 필수 화학작용
이 증가하고 물리적 활력이 증대되며 스트레스 호르몬과 고혈압, 불안,
죄의식, 탈진 증상이 줄어들고, 당뇨병의 혈당 조절이 개선된다. 또한 사
랑을 느낄 때 심장 박동이 매우 조화로운 상태에 도달한다. 하트매스에
서는 심장의 자기장이 뇌의 자기장보다 5,000배나 강력하며 자기장 범
위가 우리 몸 바깥 1미터 안팎에까지 미친다는 사실을 밝혀냈다.

또 다른 과학자들은 물을 이용한 실험을 통해서 사랑이 건강에 어떤

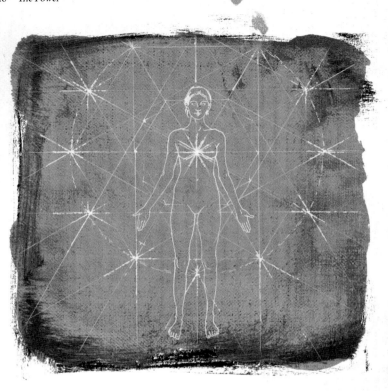

영향을 주는지에 관해 획기적인 결과를 내놓고 있다. 물이 건강과 무슨 관계가 있을까? 우리 몸의 70퍼센트가 물로 이루어져 있다! 머리 내부는 80퍼센트가 물이다!

일본, 러시아, 유럽, 미국의 학자들이 발견한 바에 따르면 물이 사랑과 감사 등과 같은 긍정적 말과 느낌에 닿을 때 물의 에너지 준위가 높아질 뿐만 아니라 물의 구조가 바뀌어 완벽하게 조화로운 상태에 이른다. 긍정적인 감정이 강해질수록 물은 더욱 아름답고 조화로운 상태가 된다. 물이 증오 같은 부정적인 감정에 닿을 때 물의 에너지 준위가 감소하고 무질서한 변화가 일어나며 물의 구조에 부정적인 영향이 미친다.

인간의 감정이 물의 구조를 변화시킬 수 있다면 당신의 감정이 신체 건강에 어떤 영향을 미칠지 상상이 되는가? 당신의 세포는 대부분 물로 이루어져 있다! 모든 세포의 중심이 물이며 세포 하나하나가 완벽하게 물로 둘러싸여 있다!

사랑과 감사가 당신 몸에 어떤 영향을 미칠지 상상이 되는가? 사랑과 감사가 건강을 회복시키는 데 어느 정도 파워를 갖고 있을지 상상이 되는가? 당신이 사랑을 느낄 때 이 사랑은 당신 몸에 있는 세포 100조 개의 물에 영향을 미친다!

완전한 건강을 얻기 위해 사랑의 파워를 이용하는 법

"위대한 사랑이 있는 곳에 언제나 기적이 있다."

월라 캐더 (1873-1947)
풀리처 상 수상 소설가

원하는 건강과 사랑을 얻기 위해서는 사랑을 주어야 한다! 어떤 병에 걸려도 건강에 대해 기분 좋은 감정을 느껴라. 오로지 사랑만이 완전한 건강을 가져다주기 때문이다. 병에 대해 기분 나쁜 감정을 내보내면서 건강을 얻을 수는 없다. 질병을 증오하거나 두려워할 때 당신은 나쁜 감정을 내보내고 있다. 질병은 이런 나쁜 감정을 통해서는 결코 사라지지 않는다. 당신이 원하는 것에 대한 생각과 느낌을 내보낼 때 당신 세포는 건강의 모든 활력을 얻는다. 원하지 않는 것에 대한 부정적 생각과 감정을 내보내면 세포에 전해지는 건강의 활력이 줄어든다! 건강과 관계없는 주제에 대해 기분 나쁜 감정을 느끼더라도 마찬가지다. 기분이 나쁠 때에는 몸에 전해지는 건강의 활력이 줄어든다. 그러나 화창한 날씨든, 새집이든, 친구든, 승진이든, 대상이 무엇이라도 사랑을 느낄 때 당신 몸은 건강의 완전한 활력을 얻는다.

감사하는 마음은 커다란 증폭기다. 그러므로 매일 당신의 건강에 대해 '감사합니다'라고 말하라. 건강은 생명이 주는 선물이기 때문에 이 세상의 모든 돈을 준다고 해도 건강을 살 수 없다. 그러므로 다른 무엇보다 당신의 건강에 감사하라! 이것이야말로 당신이 가장 확실하게 보장받을 수 있는 건강보험이다!

당신 몸에서 문제점을 찾지 말고 몸에게 감사하라. 당신 몸에서 마음에 들지 않는 점을 생각할 때마다 몸 안에 있는 물이 당신의 감정에 닿

는다는 것을 기억하라. 당신 몸에서 마음에 드는 점에 대해 온 마음으로 '감사합니다'라고 말하고 마음에 들지 않는 점을 무시하라.

> "사랑은 사랑을 이끌어 낸다."
>
> 아빌라의 성 테레사 (1515-1582)
> 수녀, 신비주의자, 작가

음식을 먹거나 물을 마시기 전에 당신이 이제부터 먹고 마실 것을 바라보면서 사랑과 감사를 느껴라. 식사하는 자리에서는 꼭 긍정적인 대화를 하라.

음식에 감사의 기도를 하면 음식에 사랑과 감사의 마음을 준다. 음식에 감사의 기도를 하는 동안 음식 안에 있는 물의 구조가 바뀌고 음식이 몸에 미치는 영향도 바뀐다. 사랑과 감사의 마음으로 물에 감사 기도를 하는 것도 마찬가지다. 사랑의 긍정적인 감정이 모든 것 속에 들어 있는 물의 구조를 바꿀 수 있다. 그러므로 파워를 이용하라.

병원 치료를 받는 동안에도 사랑과 감사의 마음을 주면서 그 파워를 이용할 수 있다. 건강한 상태를 상상할 수 있으면 '느낄' 수 있고, 이를 느낄 수 있으면 얻을 수 있다. 건강이 향상되기 위해서 당신은 그저 시간의 50퍼센트 이상을 사랑을 주면서 지내기만 하면 된다. 아픈 상태에서 건강한 상태로 옮겨 가는 티핑 포인트는 딱 51퍼센트다.

시력 검사나 혈압 측정을 할 때, 또는 건강 검진을 받거나 검사 결과를 듣는 등 건강과 관련된 뭔가를 할 때 가장 중요한 것은 그 일을 하는 동안이나 결과를 듣는 동안 기분 좋은 감정을 느껴서 좋은 결과가 나오도록 하는 것이다. 끌어당김의 법칙에 따르면 측정이나 검사 결과는 당신의 주파수대와 일치한다. 그러므로 원하는 좋은 결과를 불러오기 위해서는 그런 결과를 얻기 위한 주파수대에 있어야 한다! 삶은 반대로 일어나지 않는다. 삶에서 일어나는 모든 상황의 결과는 언제나 당신의 주파수대와 일치한다. 그런 게 끌어당김의 법칙이기 때문이다! 검사와 관련해서 좋은 감정 주파수대로 옮겨 가려면 원하는 결과를 상상하고 당신이 이미 그런 결과를 얻었다고 느껴라. 어떠한 결과든 생길 수 있지만 좋은 결과를 얻으려면 좋은 감정 주파수대에 있어야 한다.

"가능성과 기적은 같은 뜻이다."

프렌티스 멀포드 (1834-1891)
신사상 운동 저자

몸이 당신이 원하는 건강 상태에 있다고 상상하고 느껴라. 시력을 회복하고 싶을 때에는 완벽한 시력에 사랑을 주고 그런 시력을 가졌다고 상상하라. 완벽한 청력에 사랑을 주고 그런 청력을 가졌다고 상상하라. 완벽한 몸무게, 완벽한 몸매, 완벽한 신체 건강에 사랑을 주고 그런 상태를 누린다고 상상하면서 당신이 가진 모든 것에 깊이 감사하라! 어떤 몸을 원하든 당신의 몸이 그렇게 변할 것이다. 그러나 이는 오로지 사랑과 감사의 마음을 느낌으로써만 가능하다.

어느 젊고 유능한 여자가 희귀한 심장병에 걸렸다는 이야기를 들었을 때 그녀의 삶은 산산이 부서졌다. 갑자기 몸이 약해지고 기운이 빠져나갔다. 보통 사람처럼 건강한 삶을 살리라 믿었던 미래는 진단이 내려지는 순간 사라져 버렸다. 여자는 어린 두 딸을 남겨 두고 떠나야 하는 게 두려웠다. 그러나 그녀는 심장을 고치기 위해 뭐든 다 해 보리라 결심했다.

여자는 심장에 대해 그 어떤 부정적 생각도 하지 않으려 했다. 매일 오른손을 심장 위에 얹고는 건강하고 강한 심장을 상상했다. 아침에 눈을 뜰 때마다 건강하고 강한 심장에 깊은 감사의 마음을 보냈다. 심장전문의가 그녀에게 병이 완치되었다고 말하는 장면을 상상했다. 그녀는 넉 달 동안 매일같이 이렇게 했다. 넉 달 뒤 그녀의 심장을 검사한 심장전문의들은 그 결과에 놀라 얼떨떨했다. 그들은 과거의 검사 결과와 이번 검사 결과를 비교하면서 여러 차례 확인했다. 이번 검사에서는 그녀의 심장이 완벽할 정도로 건강하고 강하다는 결과가 나왔기 때문이다.

이 여자는 사랑이 지닌 끌어당김의 법칙에 따라 살았다. 그녀의 마음 속에는 병든 심장에 대한 진단 결과가 들어 있지 않았다. 대신에 여자는 건강한 심장에 사랑을 주었고 건강한 심장을 갖게 되었다. 어떤 종류의 질병에 걸리든 당신의 생각과 말 속에 그 질병을 담지 않도록 최선을 다하라. 질병을 미워하지도 마라. 그렇게 하면 질병에 부정성을 내보내기 때문이다. 건강에 사랑을 주고, 건강을 인정하고, 건강을 당신 것으로 만들라.

"당신이 갖고 있는 질병에 너무 골몰하지 않도록 최대한 주의해야 한다. 활력과 파워에 대해 생각하라. 그러면 그것을 자신에게 끌어올 것이다. 건강한 삶을 생각하라. 그러면 그런 삶을 얻을 것이다."

프렌티스 멀포드 (1834-1891)
신사상 운동 저자

건강한 삶에 대해 사랑을 느낄 때마다 사랑의 힘이 당신 몸 안에 있는 부정성을 없애 준다! 건강에 대해 기분 좋은 감정을 느끼기 힘들다면 다른 뭔가에 대해서라도 사랑을 느껴야 한다. 그러므로 주변에 온통 좋아하는 것을 놓아두고 이를 이용하여 최대한 기분 좋게 지내라. 사랑을 느낄 수 있도록 외부 세계의 모든 것을 최대한 이용하라. 웃음을 안겨 주고 기분을 좋게 해 주는 영화를 관람하라. 긴장감을 주거나 슬픈 영화는 보지 마라. 기분을 좋게 해 주는 음악을 들어라. 사람들에게 당신이 웃을 수 있는 이야기를 해 달라고 하라. 또는 그들이 가장 당황스러웠던 순간에 대해 재미 난 이야기를 해 달라고 하라. 무엇을 좋아하는지 당신 스스로 잘 알고 있다. 마음에 드는 게 무엇인지 알고 있다. 당신에게 행복을 주는 게 무엇인지 알고 있다. 그러므로 이런 것들에 관심을 쏟으면서 최대한 기분 좋게 지내라. 창조 과정을 이용하라. 파워를 얻는 열쇠를 이용하라. 최소한 51퍼센트의 시간 동안만 사랑과 좋은 감정을 주기만 해도 티핑 포인트에 이르고 모든 게 달라질 수 있다는 점을 기억하라!

아픈 누군가에게 도움을 주고 싶다면 창조 과정을 이용하여 그들이 건강을 완전히 회복한 모습을 상상하고 느껴라. 상대가 직접 끌어당김의 법칙에 주는 것보다는 못하겠지만 당신의 파워도 그들이 건강한 삶을 얻는 주파수대까지 올라가도록 하는 데 도움이 된다.

아름다움은 사랑에서 온다

> "당신 안에 사랑이 커져 가면서 아름다움도 같이 커진다. 사랑은 영혼의
> 아름다움이기 때문이다."
>
> **히포의 성 아우구스티누스** (354-430)
> 신학자이자 주교

모든 아름다움은 사랑의 힘에서 온다. 사랑을 통해 당신은 무한한 아름다움을 누릴 수 있다. 그러나 문제는 대부분의 사람이 자기 몸의 가치를 알아보기보다는 결점을 찾고 비판한다는 데 있다. 결점을 바라보고 몸의 어떤 점 때문에 불행을 느낀다면 당신에게 아름다움을 불러들이지 못한다! 더 많은 결점과 불행만 불러들일 뿐이다.

뷰티 산업이 거대하다고 해도 그보다 무한한 아름다움이 매 순간 당신에게 쏟아져 들어오고 있다. 그러나 이를 당신 것으로 하기 위해서는 사랑을 주어야 한다! 행복을 많이 느낄수록 당신은 더욱 아름다워질 것이다. 주름이 사라지고, 피부가 팽팽해지며 빛이 나고, 머리카락이 굵어지며 숱이 많아지고, 눈이 반짝거리며 색깔도 진해질 것이다. 또한 다른 무엇보다 당신이 어디를 가더라도 사람들이 주변에 모여드는 경험을 하면서 아름다움이 사랑에서 나온다는 증거를 보게 될 것이다.

느끼는 만큼 늙는다

고대 문헌을 보면 한때 사람들은 수백 년이나 살았다고 한다. 팔백 년을 살았던 사람도 있고 오륙백 년을 살았던 사람도 있지만 대체로 장수했다. 그렇다면 무슨 일이 생긴 걸까? 사람들이 믿는 생각이 바뀌었다. 여러 세대를 내려오는 동안 사람들은 수백 년을 산다고 믿었던 생각을 바꾸었고 줄어든 평균 수명을 믿게 되었다.

줄어든 평균 수명에 대한 믿음이 우리에게 전해졌다. 태어나는 순간부터 우리가 얼마나 살 수 있는지에 대한 믿음이 씨줄과 날줄처럼 정신과 마음의 구조 깊숙이 자리 잡았다. 또한 일정한 시간까지만 살도록 이른 나이에 우리 몸을 말 그대로 프로그래밍하고, 우리 몸은 이렇게 프로그래밍된 데 따라 나이가 들어간다.

"죽음의 필연성을 나타내는 징후 같은 건 아직 생물학에서 발견되지 않았다. 이는 곧 죽음이 반드시 필연적이지 않다는 사실을 암시한다. 아울러 무엇이 우리에게 문제를 일으키는지 생물학자들이 알아내기 전까지는 죽음이 그저 시간의 문제일 뿐이라는 것을 암시한다."

리처드 파인만 (1918-1988)
노벨상 수상 양자물리학자

당신이 몇 살까지 살 수 있는지에 대해 가능하면 상한선을 두지 마라. 평균 수명의 한계를 깨뜨리는 한 사람만 있으면 된다. 그가 인류를 위해 평균 수명의 추이를 바꾸고, 그 뒤를 이어 다른 사람들이 차례차례 나올 것이다. 현재의 평균 수명보다 훨씬 오래 사는 사람이 나오면 다른 사람들도 그렇게 살 수 있다고 믿고 느낄 것이며, 결국 그렇게 될 것이다!

노화와 퇴화가 필연적이라고 믿고 느끼면 그렇게 될 것이다. 당신의 세포와 신체기관과 몸이 당신의 믿음과 감정을 받아들인다. 젊게 '느끼고' 더 이상 나이를 느끼지 마라. 나이를 느낀다는 것은 당신이 물려받은 하나의 믿음일 뿐이며 당신이 몸에 심어 놓은 프로그램일 뿐이다. 믿음을 바꿈으로써 원할 때면 언제든지 명령을 바꿀 수 있다!

믿음을 어떻게 바꿀 것인가? 사랑을 주면 가능하다! 사랑에서는 한계, 노화, 질병 등과 같은 부정적인 믿음이 생기지 않는다. 사랑을 줄 때, 기분 좋은 감정을 느낄 때, 사랑은 당신에게 해가 되는 부정적 믿음을 비롯하여 모든 부정성을 녹여 버린다.

"모든 것을 향해 솟아나는 사랑이야말로 진정한 불로장생 약, 즉 장수의 근원이다. 이것이 부족할 때 언제나 나이 들었다는 느낌이 든다."

조사이아 길버트 홀랜드 (1819-1881)
작가

사랑은 진실이다

어린아이였을 때 당신은 유연성과 유동성을 지녔다. 삶에 대해 많은 부정적 믿음을 갖거나 받아들이지 않았기 때문이다. 나이가 들면서 당신에게는 한계와 부정성에 대한 감정이 많이 생겼으며 이 때문에 점점 자기 방식대로 굳어지고 유연성도 없어졌다. 이런 모습은 멋진 삶이 아니라 제한된 삶이다.

더 많이 사랑할수록 사랑의 힘이 당신 몸과 마음속에 있는 부정성을 더 많이 녹여 없앨 것이다. 또한 당신이 행복하고 감사하고 기쁠 때 사랑이 모든 부정적인 것을 녹여 없애는 걸 느낄 수 있다. 당신은 그것을 느낄 수 있다! 가벼워지는 걸 느끼고, 아무도 자신을 당하지 못할 것 같은 느낌이 들며, 세상을 다 가진 것 같은 기분을 느낀다.

점점 더 많은 사랑을 줄수록 당신 몸에서 변화가 생기기 시작하는 걸 느낄 것이다. 음식 맛이 좋아지고, 색깔이 밝게 보이며, 소리가 또렷해지고, 몸에 생긴 사마귀나 작은 반점 같은 것들이 점차 희미해지고 사라질 것이다. 몸이 점점 유연해지는 걸 느낄 것이다. 뻣뻣하고 삐걱거리는 느낌이 없어지기 시작할 것이다. 사랑을 주고 몸의 기적을 경험할 때 당신은 사랑이 건강의 원천이라는 사실에 대해 한 점 의혹도 품지 않을 것이다!

모든 기적 뒤에는 사랑이 있다

모든 기적은 사랑의 힘이 작용한 결과다. 부정성을 외면하고 오로지 사랑에 집중함으로써 기적이 만들어진다. 지금까지 살아오는 내내 비관론자였다고 해도 결코 늦지 않았다.

비관론자라는 말에 딱 어울리는 남자가 있었다. 이 남자는 셋째 아이가 태어날 거라는 깜짝 소식을 아내에게서 들었을 때 이 아이가 자신들의 삶에 얼마나 부정적인 여파를 가져올지에 대해서만 온통 생각이 쏠려 있었다. 하지만 그는 이런 부정적인 생각과 감정이 장차 그의 앞에 어떤 모습으로 전개될지 전혀 깨닫지 못했다.

임신 중반기를 막 넘어섰을 무렵 아내는 갑자기 병원으로 실려 갔고 응급 제왕절개 수술로 아이를 분만해야 했다. 전문의 세 사람이 모두 아기가 엄마 뱃속에 23주밖에 있지 못했기 때문에 생존율이 0퍼센트라고 입을 모아 말했다. 남자는 그 자리에 그대로 주저앉고 말았다. 아이를 잃으리라고는 전혀 예상하지 못했던 것이다.

제왕절개 수술 후 남자는 방 옆으로 가서 아들을 보았다. 이제껏 보았던 아기 중 가장 작은 아기였다. 키 25센티미터, 몸무게 350그램이었다. 의료진은 인공 호흡장치로 아기의 폐가 늘어나게 하려고 애썼지만 심장 박동은 점차 느려지고 있었다. 전문의는 이제 자신들이 할 수 있는 일이 없다고 말했다. 남자는 마음속으로 "제발!" 하며 소리쳤다. 바로 그 순간 인공 호흡장치에 의해 아들의 폐가 팽창되면서 심장 박동이 올라가기 시작했다.

며칠이 지나갔다. 병원에 있는 의사들은 모두 아기가 살아나지 못할 거라고 계속해서 말했다. 하지만 평생 동안 비관론자로 살아왔던 이 남자는 자신이 원하는 것을 상상하기 시작했다. 매일 밤 잠자리에 들 때 아들의 얼굴에 사랑의 빛이 빛나는 모습을 상상했다. 아침에 눈을 떴을 때에는 밤새 아들이 살아 있게 해 준 데 대해 하느님에게 감사드렸다.

하루하루 그의 아들은 나아졌고 그는 자신 앞에 놓여 있던 모든 장애물을 극복했다. 아기가 중환자실에서 힘들게 4개월을 보낸 뒤 남자와 아내는 생존율 '0퍼센트'였던 아기를 집으로 데려올 수 있었다.

모든 기적 뒤에는 사랑이 있다.

파워의 핵심 포인트

• 믿음이나 강한 느낌을 통해 당신 몸에 뭔가를 지속적으로 전하면 당신 몸에서 이를 받아들인다. 당신이 느끼는 모든 것이 몸 전체의 세포와 기관에 가득 스며든다.

• 당신은 왕국의 지배자다. 당신의 세포는 절대복종하면서 당신을 섬기는 가장 충직한 신하다. 그러므로 당신이 무엇을 생각하든, 무엇을 느끼든 그것이 당신 왕국의 법이 되고, 당신 몸을 지배하는 법이 된다.

• 원하지 않는 것에 대한 부정적 생각과 감정을 내보낼 때 세포에 전해지는 건강의 활력은 줄어든다! 화창한 날씨든, 새집이든, 친구든, 승진이든, 대상이 무엇이라도 사랑을 느낄 때 당신 몸은 건강의 완전한 활력을 얻는다.

• 감사하는 마음은 커다란 증폭기다. 그러므로 매일매일 당신의 건강에 대해 "감사합니다."라고 말하라.

• 당신 몸에서 마음에 드는 점에 대해 온 마음으로 "감사합니다."라고 말하고 마음에 들지 않는 점을 무시하라.

• 건강이 향상되기 위해서는 시간의 50퍼센트 이상을 건강에 사랑을 주면서 보내라. 아픈 상태에서 건강한 상태로 옮겨 가는 티핑 포인트는 딱 51퍼센트다.

• 질병에 걸릴 경우 당신의 생각과 말 속에 그 질병을 담지 않도록 최선을 다하라. 그 대신 건강에 사랑을 주고, 건강을 인정하고, 건강을 당신 것으로 만들라.

- 완벽한 몸무게, 완벽한 몸매, 완벽한 신체 건강에 사랑을 주고 그런 상태를 누린다고 상상하면서 당신이 가진 모든 것에 깊이 감사하라!

- 당신의 몸이 나이 들면서 퇴화한다고 믿을 때 당신은 이런 믿음을 내보내고 있으며 끌어당김의 법칙은 그러한 환경을 당신에게 되돌려 준다.

- 젊게 느끼고 더 이상 나이를 느끼지 마라.

- 사랑과 감사의 마음을 통해 몸은 당신이 원하는 대로 변할 것이다.

파워와 당신

"행복을 얻는 파워, 좋은 것을 얻는 파워, 우리가 삶에서 필요로 하는 모든 것을 얻는 파워는 우리들 각자의 내부에 있다. 그곳에 파워가 있다. 이는 무한한 파워다."

로버트 콜리어 (1885-1950)
신사상 운동 저자

모든 것에는 주파수가 있다. 그야말로 모든 것이다! 모든 단어, 모든 소리, 모든 색깔, 모든 나무, 모든 동물, 모든 식물, 모든 광물, 모든 물체에 주파수가 있다. 모든 종류의 음식과 음료에 주파수가 있다. 모든 장소, 모든 도시, 모든 국가에 주파수가 있다. 공기, 불, 땅, 물의 요소에도 모두 주파수가 있다. 건강, 질병, 많은 돈, 부족한 돈, 성공과 실패에도 모두 주파수가 있다. 모든 사건, 상황, 조건에도 주파수가 있다. 심지어는 당신 이름에도 주파수가 있다. 그런데 당신의 주파수를 가리키는 진짜 이름은 바로 당신이 느끼는 감정이다. 또한 당신이 느끼는 감정은 비슷한 주파수대에 있는 '모든 것'을 당신에게로 불러들인다.

행복을 느끼고 이런 행복의 느낌을 계속 유지한다면 오로지 행복한 사람, 행복한 상황, 행복한 일만 당신 삶 속에 들어올 것이다. 스트레스를 느끼고 이런 스트레스 상태를 유지한다면 사람과 상황, 일을 통해 오로지 스트레스 쌓이는 일만 점점 더 많이 당신 삶 속에 들어온다. 약속 시간에 늦어서 급히 서둘러 갈 때 이런 경험을 해 보았을 것이다. 서두르는 것은 부정적 느낌이며, 당신이 서두르면서 시간에 늦는 것을 걱정할 때면 마치 태양이 빛나는 것만큼이나 확실하게 모든 장애와 시간 지체 현상이 당신 앞길을 막아선다. 끌어당김의 법칙은 당신 삶에서 이와 같이 작용한다.

하루를 기분 좋게 시작하는 게 얼마나 중요한지 알고 있는가? 기분을 좋게 하기 위한 시간을 갖지 않는다면 그날 하루 동안 좋은 일이 생기지 않을 것이다. 또한 일단 부정적인 일이 생기고 나면 이를 바꾸기 위해 더 많은 노력을 들여야 한다. 바로 눈앞에서 부정적 일이 일어났으므로 당신은 이를 사실로 믿기 때문이다! 부정적인 일이 먼저 생기지 않도록 기분을 좋게 하기 위한 시간을 갖는 편이 훨씬 쉽다. 기분을 바꿈으로써 삶의 무엇이든 바꿀 수 있기는 하지만 그래도 좋은 일이 당신에게 먼저 생기도록 하는 편이 더 낫지 않을까?

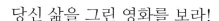

당신 삶을 그린 영화를 보라!

삶은 마법과 같다. 당신 삶의 어느 하루에 일어난 일은 그 어떤 판타지 영화보다 마법 같지만, 영화를 볼 때와 똑같은 집중력으로 당신에게 일어나는 일을 '바라보아야' 한다. 영화를 보다가 잠들어 버리거나 전화가 걸려와 주의가 산만해질 때 당신은 무슨 일이 일어났는지 놓쳐 버린다. 일상이라는 스크린 위에는 당신 삶을 그린 영화가 끊임없이 상영되는데, 이때에도 마찬가지다. 비몽사몽 중에 돌아다니거나 정신을 바짝 차리고 있지 않다면, 동시에 일어나는 많은 일들과 메시지가 당신에게 계속 말을 걸면서 길을 알려 주고 이끌어 주는데도 이를 놓칠 것이다!

삶은 당신에게 반응을 보인다. 삶은 당신과 소통하고 있다. 우연의 일치나 우발적 일이란 없다. 모든 것이 저마다 주파수를 지니고 있다. 당신 삶에 무슨 일이 생긴다면 이는 곧 당신이 그 일과 같은 주파수대에 있다는 의미다. 표지, 색깔, 사람, 물체 등 당신 눈에 보이는 모든 것, 귀에 들리는 모든 것, 당신에게 일어나는 모든 상황과 사건은 당신과 같은 주파수대에 있다.

"여러 사실들이 이렇게 연결되어 있는 게 너무도 놀라워서 창조주가
혹시 이 지구를 전기적으로 설계한 게 아닐까 하고 여겨질 것이다."

니콜라 테슬라 (1856-1943)
라디오와 교류 전기 장치 발명가

운전을 하다가 경찰차가 보이면 갑자기 정신이 번쩍 드는 경험을 해
보았을 것이다. 경찰차가 보인 데는 이유가 있으며 아마도 당신에게 "정
신 차려!"라고 말하는 건지도 모른다. 경찰차가 보인 것은 이보다 더 큰
의미가 있을 수도 있지만 그 해답을 얻기 위해서는 "이 일이 내게 무슨
말을 하려는 거지?"라고 스스로에게 물음을 던져야 한다. 경찰은 법과
질서를 상징한다. 그러므로 경찰차는 당신 삶에서 질서가 흐트러진 부
분이 있다는 데 대한 메시지일 수 있다. 가령 친구에게 다시 전화해 주기
로 한 걸 잊었다든가 누군가가 해 준 고마운 일에 감사 인사를 하지 않
았다든가 하는 일을 알려 주는 메시지일 수 있다.

구급차의 사이렌 소리가 들린다면 이것은 무슨 말을 전하려는 것일
까? 당신의 건강에 감사하라고 말하는 것일까? 주변 사람들의 건강에
사랑을 주고 감사하라고 일깨우는 것일까? 소방차가 헤드라이트를 켜
고 사이렌을 울리면서 당신 옆을 빠르게 지나갈 때 이는 '당신에게' 무
슨 말을 하는 것일까? 삶의 어느 부분에선가 불이 나고 있으니 당신이

가서 꺼야 한다는 말을 하는 것일까? 아니면 당신의 사랑을 더욱 불태우라고 말하는 것일까? 당신 삶에서 일어나는 일의 의미는 오로지 당신만이 알 것이다. 그러나 당신 앞으로 온 메시지의 의미에 대해 물음을 던지고 그 답을 얻을 수 있도록 주변에서 일어나는 일에 촉각을 세우고 있어야 한다.

당신에게 끊임없이 메시지와 피드백이 들어오고 있으며 지금까지 사는 동안 당신은 '줄곧' 이런 메시지를 받아 왔다. 내게 무슨 소리가 들릴 때면, 비록 그 소리가 옆에 서 있는 어느 낯선 두 사람의 대화 속 말일지라도 내 삶에서 의미를 지니고 있다. 그 말들은 내 앞으로 오는 메시지이며 나와 상관이 있고 내 삶에 대해 피드백을 주고 있다. 나와 상관이 있다. 내가 여행하고 있을 때 어떤 표지판이 내 눈에 들어와 그 속에 담긴 말들이 내게 읽힌다면 이 말들은 내게 의미가 있으며 내게 전달되는 메시지이고 나와 상관이 있다. 그 말들이 나와 같은 주파수대에 있기 때문에 나와 상관이 있다. 내가 다른 주파수대에 있었다면 그 표지판을 알아차리지 못했을 것이고 대화 소리가 들리는 범위 안에 있지 않았을 것이다.

하루 동안 주변에서 일어나는 모든 일이 저마다 내게 말을 걸면서, 끊임없이 피드백과 메시지를 주고 있다. 주위 사람들이 예전만큼 행복하지 않거나 웃지 않는 걸 알아차릴 경우 나는 내 감정 주파수가 떨어졌다고 생각하면서 곧바로 내가 좋아하는 것들을 차례차례 생각하기 시작하고, 내가 더 많이 행복을 느낄 때까지 이 생각을 계속 이어 나간다.

> "우리 자신이 이 세상에서 보고 싶은 변화가 되어야 한다."
>
> 마하트마 간디 (1869-1948)
> 인도의 정치 지도자

비밀스런 상징 표시

사랑의 힘을 보여 주는 물질적 증거가 나타나기를 요청하면서 끌어당김의 법칙과 함께 놀이를 할 수 있다. 좋아하는 것을 떠올리고 이를 사랑의 힘에 대한 상징 표시로 삼아라. 이 상징 표시가 보이거나 들릴 때마다 사랑의 힘이 당신 곁에 함께한다는 것을 알 수 있다. 나는 반짝반짝 빛나는 빛을 내 상징 표시로 이용한다. 그래서 햇빛이 눈에 들어올 때나 햇빛이 다른 것에 반사되어 내 눈에 들어올 때 그것이 사랑의 힘을 나타내며 내 곁에 같이 있다는 것을 안다. 기쁨이 흘러넘칠 때나 사랑이 가득할 때 내 주위의 모든 것에 빛이 반사되어 빛난다. 내 여동생은 무지개를 상징 표시로 이용한다. 사랑과 감사의 마음이 가득할 때 그녀 주위에 시선이 가는 곳 어디에서나 빛의 무지개와 갖가지 무지개가 보인다. 별이

나 금, 은, 특정 색깔, 동물, 새, 나무 등 당신이 좋아하는 것을 상징 표시로 이용할 수 있다. 특정 단어나 소리를 당신만의 비밀스런 상징 표시로 삼을 수 있다. 무엇을 선택하든 당신이 무조건 좋아하고 감탄하는 것을 선택하라.

원한다면 상징 표시를 정해서, 사랑의 힘이 당신에게 주의하라고 경고 신호를 보내는 표시로 삼을 수도 있다. 실제로 당신은 항상 메시지와 경고를 받고 있다. 물건을 떨어뜨렸을 때, 발이 어딘가에 걸려 넘어졌을 때, 옷이 어딘가에 걸렸을 때, 뭔가에 부딪혔을 때, 이 모든 것은 당신이 생각하고 있던 것 또는 느끼고 있던 것을 멈추기 위해 당신 앞으로 오는 경고이자 메시지다! 모든 것은 주파수를 갖고 있기 때문에 삶에는 우연의 일치도, 우발적인 일도 없으며, 모든 것은 동시적이다. 이는 그야말로 삶과 우주의 물리적 작용이다.

"태양계를 바라보고 있으면 태양으로부터 적당한 양의 열기와 빛을 받기에 알맞은 거리에 지구가 있는 것을 알 수 있다. 이는 우연히 일어난 일이 아니다."

아이작 뉴턴 (1643-1727)
수학자이자 물리학자

삶은 마법과 같다

사랑하라. 그러면 내게 뭔가 일이 생긴다. 사랑은 누구라도 가질 수 있는 가장 마법 같고 가슴 두근거리는 감정적 유대관계다. 이런 사실을 알고 있는 내가 하루를 어떻게 살고 있는지 당신에게 들려주고 싶다.

나는 매일 아침 눈을 뜨면 살아 있는 것에 감사하며 내 삶의 모든 것과 모든 사람에게 감사한다. 매일 아침 15분 동안 사랑을 느끼고 이 사랑을 세상 밖으로 내보낸다.

나의 하루를 상상한다. 일이 잘 풀려 나가는 나의 하루를 상상하고 사랑을 느낀다. 하루 동안 해야 할 일이 잘 풀릴 거라고 미리 상상하고 사랑을 느낀다. 어떤 일이든 그 일을 하기 '전에' 내 안에서 가능한 한 많은 사랑을 느낌으로써 그 일에서 나보다 사랑의 힘을 우위에 둔다. 나는 기분 좋은 느낌이 들지 않는 한 이메일이나 택배를 열어 보지 않으며 중요한 전화를 걸지도 받지도 않고, 그 어떤 중요한 일도 하지 않는다.

아침에 옷을 입을 때는 옷에 무한한 고마움을 느낀다. 시간을 절약하기 위해 "오늘은 어떤 옷이 가장 완벽할까?"라고 묻기도 한다. 몇 년 전나는 끌어당김의 법칙과 내 옷장과 함께 놀아 보자고 마음먹었다. 이 치마에 저 상의가 어울릴지 궁리하고 더러는 옷을 직접 걸쳤다가 서로 어울리지 않아서(이럴 경우 일이 잘 풀리지 않는 상황을 추가로 더 끌어당긴다) 다시 벗는 대신 내 스타일을 사랑의 힘에 떠넘기기로 했다. 내가 입은 옷이 멋져 보인다면 어떤 '기분일지' 그저 '상상하기만' 했다. 이런 상상을 하고 그 기분을 느끼면서 "오늘 뭘 입을까?"라는 질문을 던진 뒤 내가 옷을 입는 동안 내 옷들이 얼마나 멋지고 좋게 보이는지 경외감을 느끼면서 서서 바라본다.

거리를 걸어갈 때에는 늘 정신을 차리고 내 곁을 지나가는 사람들을 눈여겨본다. 할 수 있는 한 최대한 많은 사람에게 사랑의 생각과 느낌을 보낸다. 개개인의 얼굴을 보면서 내 안에 있는 사랑을 느끼고 상대가 내 사랑을 받는 것을 상상한다. 풍족한 돈, 행복한 인간관계, 넘치는 활력, 그 밖에 누구라도 좋아할 만한 모든 것의 근원이 사랑의 힘이라는 사실을 알기 때문에 나는 사람들에게 사랑을 보낸다. 그들이 무엇을 필요로 하든 그런 과정을 통해서 그들에게 필요한 것을 보내고 있다는 것을 알고 있기 때문이다.

특별히 필요한 게 있는 사람, 예를 들어 원하는 게 있지만 이를 살 형편이 되지 않는 사람을 볼 때에는 풍족한 돈에 대한 생각을 그에게 보낸다. 화난 것처럼 보이는 사람이 있을 경우에는 그에게 행복을 보낸다. 스트레스를 받으면서 몹시 서두르는 사람이 있다면 그에게 평화와 기쁨의 생각을 보낸다. 식료품을 구입하거나 길을 걸어가거나 운전을 하는 등 사람들과 섞여 있을 때에는 언제나 그들에게 가능한 한 많은 사랑을 보내려고 최선을 다한다. 특별히 필요한 게 있는 사람이 내 눈에 보일 때마다 이는 내가 삶에서 ~~돈과 행복, 평화와 기쁨에 감사해야 한다~~는 메시지라는 것도 알고 있다.

비행기를 타고 갈 때 모든 사람에게 사랑을 보낸다. 음식점에 있을 때 모든 사람과 음식에게 사랑을 보낸다. 조직이나 회사를 상대할 때, 또는 상점에서 쇼핑을 할 때 그들 모두에게 사랑을 보낸다.

운전을 하기 위해 차에 올라탈 때 나는 행복하고 기분 좋은 모습으로 집에 돌아오는 모습을 상상하며 "감사합니다."라고 말한다. 운전을 시작하려고 할 때 "어느 길이 가장 좋을까?"라고 묻는다. 집을 나설 때나 돌아올 때 우리 집을 향해 "감사합니다."라고 말한다. 슈퍼마켓에서 물건을 살 때 "더 필요한 건 없을까?" "빠진 것 없이 다 샀나?" 하고 물어본다. 그럴 때마다 항상 대답을 얻었다.

"분명 지식은 자물쇠이고 그것을 여는 열쇠는 물음이다."

자파르 알 사디크 (702-765)
이슬람의 영적 지도자

나는 매일 많은 물음을 던지는데 때로는 물음이 수백 개가 될 때도 있다. 내가 묻는 물음은 이런 것들이다. "오늘 하루는 어떻게 지낼까?" "이럴 때는 어떻게 해야 하지?" "가장 최선의 결정이 무엇일까?" "이 문제에 대한 해답이 무엇일까?" "내게 가장 좋은 선택은 어떤 것일까?" "이 사람 또는 이 회사가 옳을까?" "어떻게 하면 기분이 더 좋아질까?" "어떻게 하면 내 기분을 더 띄울 수 있을까?" "오늘 나는 어디에 사랑을 주어야 할까?" "내가 감사할 만한 일은 뭐가 있을까?"

물음을 던질 때 당신은 물음을 '내보내며' 반드시 답을 '받는다'! 그러나 물음에 대한 답이 보이거나 들릴 수 있도록 정신을 차리고 촉각을 세워야 한다. 어떤 글을 읽거나, 어떤 소리를 듣거나, 어떤 것을 꿈꾸면서 답을 받을 수도 있다. 때로는 느닷없이 물음에 대한 답을 그냥 깨닫기도 한다. 어쨌든 당신은 항상 답을 받을 것이다!

가령 열쇠 같은 것을 어딘가에 놔두고 잊어버렸을 때 나는 "열쇠가 어디 갔지?"라고 물으며 늘 대답을 얻는다. 그러나 거기서 그치지 않는다. 열쇠를 찾고 나면 "이 일은 내게 무슨 이야기를 하는 걸까?"라고 묻는다. 다시 말해서 왜 열쇠를 잘못 놔둔 건지 묻는다. 모든 것에는 이유가 있기 때문이다! 우연의 일치도, 우발적 일도 없다. "천천히 하자. 넌 너무 서두르고 있어."라는 대답을 얻을 때가 있다. 그런가 하면 "핸드백 안에 지갑이 없어."라는 대답을 얻고는 내 열쇠를 찾았던 방에 가서 둘러보면 거기에 지갑이 있다. 곧바로 대답을 얻지 못하는 때도 있다. 그러나 문을 열고 나갈 때쯤 전화벨이 울리고 전화를 받아 보면 내가 가려던 약속이 취소된다. 그러면 나는 열쇠를 잘못 놔둔 일이 긍정적인 이유로 일어났다는 걸 바로 깨닫는다. 나는 삶이 이루어지는 방식이 너무 좋다. 그러나 물음을 던지지 않으면 어떤 대답도, 피드백도 얻을 수 없다!

때로 삶은 내 앞길에 다소 까다로운 일을 던지기도 한다. 그러나 그 일이 일어날 때 나는 내가 그 일을 끌어당겼다는 것을 안다. 나는 이 일에서 배울 수 있도록, 그리고 두 번 다시 잘못을 되풀이하지 않도록, 내가 어떻게 하다가 그 일을 끌어당겼는지 항상 묻는다.

내가 얻는 모든 것에 대한 보답으로 나는 세상을 향해 가능한 한 많은 사랑을 보낸다. 모든 사물과 모든 사람에게서 좋은 점을 찾는다. 나는 모든 것에 감사한다. 사랑을 주는 동안 사랑의 힘이 나를 휩쓸고 지나가는 것을 느끼며, 가득 차오르는 사랑과 기쁨에 숨이 막힐 정도다. 당신이 받은 모든 것에 사랑을 돌려주려고 할 때도 사랑의 힘은 그 사랑을 증폭시키고 당신에게 훨씬 '더 많은' 사랑을 되돌려 준다! 삶에서 딱 한 번 이런 일이 일어나는 것을 느끼더라도 당신은 이미 예전의 당신이 아닐 것이다.

사랑은 당신을 위해 뭐든지 할 것이다

사랑의 힘을 이용하여 삶의 어떤 일에서든 도움을 받을 수 있다. 반드시 기억해야 하는 일을 사랑의 힘에게 맡겨 두었다가 꼭 필요할 때 당신에게 상기시켜 달라고 부탁할 수 있다. 사랑의 힘에게 알람시계가 되어 당신이 원하는 시간에 깨워 달라고 할 수도 있다. 사랑의 힘은 당신의 개인 조수가 될 것이고, 재무 관리사, 개인 건강 트레이너, 인간관계 상담

사도 될 것이다. 또한 재산, 몸무게, 음식, 인간관계, 그 밖에 맡기고 싶은 일들을 관리할 것이다. 하지만 사랑과 존중, 감사를 통해 당신이 사랑의 힘과 하나가 될 때에만 이런 일들을 할 것이다! 사랑을 통해 당신이 힘을 합칠 때에만, 그리고 혼자서 모든 것을 통제하려고 애쓰면서 삶을 움켜쥐려는 불안한 손을 놓아 버릴 때에만 이런 일들을 할 것이다.

"믿음이 강해지면 깨닫게 되는 사실이 있다. 더 이상 지배의식을 가질 필요가 없다는 것, 모든 것은 저마다의 길을 따라 흘러가고 당신은 그것들과 더불어 흘러갈 거라는 사실이다. 이런 깨달음은 당신에게 커다란 기쁨과 이득을 안겨 줄 것이다."

윈게이트 페인 (1915-1987)
작가이자 사진작가

삶의 가장 커다란 힘과 하나가 되라. 사랑의 힘이 당신을 위해 해 주었으면 하는 일이 무엇이든 그것이 이루어졌다고 상상하고 그렇게 이루어진 것을 무조건적인 사랑과 감사의 마음으로 느껴라. 그러면 그것을 얻을 것이다.

상상을 이용하여 사랑의 힘이 당신을 위해 할 수 있는 모든 것에 대해 생각하라. 사랑의 힘은 생명과 우주의 '바로 그' 지능이다. 꽃 한 송이, 인간 몸의 세포 하나라도 만들 수 있는 지능을 상상할 수 있다면 당신이 어떤 상황에서 던지는 물음이든 모두 완벽한 대답을 얻을 것이라고 이해할 수 있다. 사랑은 당신을 위해 뭐든지 하겠지만 당신 삶에서 사랑이 지닌 파워를 실현하기 위해서는 당신이 사랑을 통해 사랑과 하나가 되어야 한다.

무엇이 달라지는가?

> "뒤죽박죽 어지러운 것 속에서 단순성을 찾아라. 불협화음 속에서 화음을 찾아라. 어려움 속에 기회가 있다."

알베르트 아인슈타인 (1879-1955)
노벨상 수상 물리학자

세세한 일에 너무 많이 매달린다면 이 사소한 것들이 당신 마음을 흐트러뜨리고 약하게 만들 것이다. 중요하지 않은 작은 일들에 매달려 쫓아다닌다면 기분 좋은 상태를 유지하는 데 집중하지 못할 것이다. 세탁소 문을 닫기 전에 옷을 맡긴다고 정말 뭐가 달라지는가? 당신이 응원하는 팀이 이번 주 경기에서 이기지 못했다고 '당신' 삶이 달라지는가? 언제나 다음 주가 있다. 버스를 놓쳤다고 뭐가 달라지는가? 상점에 오렌지

가 떨어졌다고 뭐가 달라지는가? 몇 분 동안 줄 서 있다고 뭐가 달라지는가? 전체 구도 속에서 이 작은 일들은 어떤 차이를 가져오는가?

세세한 일들이 당신 마음을 흐트러뜨리면서 삶을 방해할 수 있다. 불필요한 작은 일들에 지나치게 많은 중요성을 부여하면 기분 좋은 상태를 유지하지 못한다. 당신 삶의 구도 속에서 이런 것들은 중요하지 않다! 그중 어느 것 하나 중요하지 않다! 삶을 단순화하라. 기분 좋은 상태를 유지하기 위해서 그렇게 해야 한다. 세세한 일들을 없앨 때 당신이 원하는 모든 것이 삶 속으로 쏟아져 들어오도록 공간을 마련할 수 있기 때문에 그렇게 해야 한다.

삶에 의미를 부여하라

당신은 삶의 모든 것에 의미를 부여한다. 어떤 상황이 벌어질 때 좋은 상황 또는 나쁜 상황이라는 딱지가 처음부터 붙어 있지는 않다. 모든 것은 중립적이다. 무지개와 천둥은 좋은 것도 나쁜 것도 아니며, 그저 무지개이거나 천둥일 뿐이다. 당신은 무지개에 대해 느끼는 감정을 바탕으로 무지개에 의미를 부여한다. 천둥에 대해 느끼는 감정을 바탕으로 의미를 부여한다. 좋은 직업 또는 나쁜 직업이 있는 것이 아니며 그냥 직업일 뿐이다. 그러나 당신 직업에 대해 스스로 어떻게 느끼느냐에 따라 당신에게 좋은 직업이 될지 나쁜 직업이 될지 결정된다. 그 자체로 좋은 인간관계 또는 나쁜 인간관계란 없으며, 그저 인간관계일 뿐이다. 그러나 당신이 특정 인간관계에 대해 어떻게 느끼는지에 따라 당신에게 좋은 인간관계가 될지 나쁜 인간관계가 될지가 정해진다.

> "좋은 것도 나쁜 것도 없다. 다만 생각하기에 따라 좋고 나쁠 뿐이다."
>
> 윌리엄 셰익스피어 (1564-1616)
> 영국 극작가

누군가가 다른 사람에게 해를 입힌 경우에도 끌어당김의 법칙은 어김없이 반응한다. 그들이 준 만큼 정확히 돌려주기 위해 경찰이나 법 또는 다른 수단을 사용할 수도 있지만 끌어당김의 법칙에서 한 가지는 확실하다. 우리가 준 대로 돌려받는다는 사실이다. 다른 사람 때문에 다친 사람이 있다는 이야기를 들으면 다친 사람에게 연민을 느끼되 어느 누구에 대해서도 판단하지 마라. 누군가를 판단하면서 그가 나쁘다고 생각할 때 당신은 사랑을 주지 않고 있다. 또한 다른 누군가가 나쁘다고 생각하는 동안 당신은 사실상 자기 자신에게도 나쁘다는 딱지를 붙인 셈이다. 무엇을 주었든 '당신이' 준 대로 받는다. 다른 누군가에 대해 나쁜 감정을 내보내면 그가 무슨 짓을 했든 상관없이 그때 느낀 나쁜 감정이

'당신에게' 돌아온다! 당신이 내보낸 감정과 똑같은 힘의 세기로 당신에게 돌아와 '당신' 삶 속에 부정적 상황을 만들어 낸다. 사랑의 힘 앞에서는 어떤 변명도 통하지 '않는다'!

> "모든 생명을 향해 사랑을 느끼면서 스러져 간 삶은 완전하고, 충만하며, 아름다움과 힘을 지닌 채 계속 커져 가는 삶이다."
>
> 랄프 왈도 트린 (1866-1958)
> 신사상 운동 저자

사랑은 세상을 얻는 파워다

사랑의 힘에는 반대 세력이 없다. 삶에는 사랑 이외에 다른 어떤 파워도 없다. 부정성의 힘은 존재하지 않는다. 오래전 부정성이 "악마" 또는 "악"으로 불릴 때가 있었다. 악이나 악마의 유혹을 받는다는 것은 사랑의 긍정적인 힘 앞에 강력한 세력으로 맞선다기보다는 부정적인 생각이나 감정의 유혹에 빠지는 것을 의미한다. 부정성의 힘 같은 것은 없다. 오로지 하나의 힘만 있으며, 그 힘은 사랑이다.

이 세상에 보이는 모든 부정적인 것은 늘 그리고 언제나 사랑의 부족이 표현된 형태다. 그 부정성이 사람에게 나타나든 아니면 장소나 상황,

사건에서 나타나든 언제나 사랑의 부족에서 비롯된다. 슬픔의 힘은 없다. 슬픔은 행복의 부족이며 모든 행복은 사랑에서 온다. 실패의 힘 같은 것도 없다. 실패는 성공의 부족이며 모든 성공은 사랑에서 온다. 질병의 힘도 존재하지 않는다. 질병은 건강한 활력의 부족이며 모든 건강한 활력은 사랑에서 온다. 가난의 힘도 없다. 가난은 풍요의 부족이며 모든 풍요는 사랑에서 온다. 사랑은 삶의 긍정적인 힘이며 '그 어떤' 부정적 조건도 '항상' 사랑의 부족에서 비롯된다.

사람들이 부정성보다 사랑을 더 많이 주는 티핑 포인트에 도달할 때 지구상에서 부정성이 빠른 속도로 사라질 것이다. 그 모습을 상상하라! 사랑하기로 선택하는 매 순간마다 당신의 사랑은 전 세계가 긍정성으로 기울어지는 데 힘을 보탠다! 현재 우리가 티핑 포인트에 매우 가까이 근접해 있다고 믿는 사람들이 있다. 그들이 옳든 그르든 그 어느 때보다 '지금은' 사랑과 긍정성을 보내야 할 때다. 당신의 삶을 위해서 그렇게 하라. 당신의 조국을 위해서 그렇게 하라. 세계를 위해서 그렇게 하라.

"마음이 바로서야 개인의 삶이 수양된다. 개인의 삶이 수양되어야 가정이 바로 잡힌다. 가정이 바로 잡힌 후에야 나라를 다스린다. 나라를 다스린 후에야 천하를 평정한다."

공자 (기원전 551-479)
중국 철학자

당신은 이 세상에서 아주 많은 파워를 지니고 있다. 당신이 줄 수 있는 사랑이 아주 많기 때문이다.

파워의 핵심 포인트

- 모든 것에는 주파수가 있다. 그야말로 모든 것이다! 당신이 어떤 감정을 느끼든 이 감정은 비슷한 주파수대에 있는 모든 것을 당신에게로 불러들인다.

- 삶은 당신에게 반응을 보인다. 삶은 당신과 소통하고 있다. 표지, 색깔, 사람, 물체 등 당신 눈에 보이는 모든 것, 귀에 들리는 모든 것, 당신에게 일어나는 모든 상황과 사건이 당신과 같은 주파수대에 있다.

- 행복을 느끼고 이런 행복의 느낌을 계속 유지한다면 오로지 행복한 사람, 행복한 상황, 행복한 일만 당신 삶 속에 들어올 수 있다.

- 모든 것은 주파수를 갖고 있기 때문에 삶에는 우연의 일치도, 우발적 일도 없으며, 모든 것은 동시적이다. 이는 그야말로 삶과 우주의 물리적 작용이다.

- 좋아하는 것을 떠올리고 이를 사랑의 힘에 대한 상징 표시로 삼아라. 이 상징 표시가 보이거나 들릴 때마다 사랑의 힘이 당신 곁에 함께한다는 것을 알게 될 것이다.

- 당신이 하는 모든 일에서 당신보다 사랑의 힘에 우위를 두어라. 하루 동안 해야 할 일이 잘 풀릴 거라고 상상하라. 어떤 일이든 그 일을 하기 전에 당신 안에서 가능한 한 많은 사랑을 느껴라.

- 매일 물음을 던져라. 물음을 던질 때 당신은 물음을 내보내며 반드시 답을 받는다!

- 사랑의 힘을 이용하여 삶의 어떤 일에서든 도움을 받아라. 사랑의 힘은 당신의 개인 조수가 될 것이고 재무 관리사, 개인 건강 트레이너, 인간관계 상담사가 될 것이다.

- 세세한 일에 너무 많이 매달리면 이 사소한 것들이 당신 마음을 흐트러뜨리고 약하게 만들 것이다. 삶을 단순화하라. 작은 일들에 너무 많은 중요성을 부여하지 마라. 그런다고 뭐가 달라지는가?

- 사랑의 힘에는 반대 세력이 없다. 삶에는 사랑 이외에 다른 어떤 파워도 없다. 이 세상에 보이는 모든 부정적인 것은 늘 그리고 언제나 사랑의 부족이 표현된 형태다.

파워와 삶

인간은 자신이 존재하지 '않는다'는 걸 상상할 수 없다. 우리 몸이 살아 있지 않다는 건 상상할 수 있지만 존재하지 않는다는 것은 도저히 상상할 수 없다. 왜 그렇다고 생각하는가? 우연한 자연현상이라고 생각하는가? 그렇지 않다. 당신이 존재하지 않는 것은 불가능하기 때문에 그것을 상상하지 못한다! 그런 상황을 상상할 수 있다면 만들 수도 있을 테지만 당신은 절대로 그런 상황을 만들지 못한다! 당신은 늘 존재해 왔고 앞으로도 존재할 것이다. 당신은 창조의 일부이기 때문이다.

"여기 모인 당신과 나, 왕들이 존재하지 않았던 때는 한 번도 없었으며, 우리가 더 이상 존재하지 않게 될 날도 없을 것이다. 유년기에서 청년기를 거쳐 노년에 이르기까지 같은 사람이 몸속에 살았던 것처럼 죽을 때가 되면 그 사람이 다른 몸을 얻는다. 현명한 자는 이러한 변화에 현혹되지 않는다."

바가바드 기타 (기원전 5세기)
고대 힌두교 경전

그렇다면 사람이 죽을 때 무슨 일이 일어나는가? 몸은 비(非)존재가 될 수 없다. 그런 것은 없기 때문이다. 몸은 통합되어 성분으로 바뀐다. 또한 당신 안에 있는 존재, 다시 말해 '진짜' 당신도 비존재로 변하지 않는다. '존재'를 뜻하는 영어 단어 being 자체에 당신이 언제까지나 존재할 거라는 의미가 들어 있다. 당신은 '존재했던' 인간 존재(human "been") 가 아니라 '존재하는' 인간 존재(human being)이다! 당신은 인간의 몸속에 잠시 살고 있는 영원한 존재다. 당신이 더 이상 존재하지 않는다면 우주에는 빈 공간만 남을 것이며 우주 전체가 붕괴되어 빈 공간만 있을 것이다.

당신이 몸에서 떠난 뒤 옮겨 가게 될 다른 존재가 눈에 보이지 않는 이유는 오로지 사랑의 주파수를 볼 수 없기 때문이다. 당신은 자외선의 주파수도 볼 수 없다. 사랑의 주파수, 즉 사랑이 위치해 있는 주파수대는 모든 창조 중에서 가장 높다. 아무리 훌륭한 과학 설비도 사랑의 주파수를 탐지하지 못하며 그 근처에도 갈 수 없다. 그러나 당신이 사랑을 '느낄' 수 있다는 것을 명심하라. 더 이상 볼 수 없는 사람이 있더라도 사랑의 주파수대에서는 그 사람을 느낄 수 있다. 슬픔이나 절망 속에서는 그들을 느낄 수 없다. 그들이 위치해 있는 주파수대 근처 어디에도 그런 감정의 주파수가 없기 때문이다. 그러나 당신이 사랑과 감사의 가장 높은 주파수대에 있다면 그들을 느낄 수 있다. 그들은 결코 당신과 멀리 떨어져 있는 게 아니며 당신과 그들이 격리되어 있는 것도 아니다. 당신은 사랑의 힘을 통해 항상 삶의 '모든 것'과 연결되어 있다.

하늘이 당신 안에 있다

"하늘과 땅의 모든 원리가 당신 안에 살아 있다."

우에시바 모리헤이 (1883-1969)
아이키도 창시자

고대 문헌에서는 "하늘이 당신 안에 있다."라고 하는데 이는 당신 존재의 주파수에 대한 이야기다. 당신은 인간의 몸을 떠날 때 자동적으로 순수한 사랑의 가장 높은 주파수대로 옮겨 간다. 그것이 당신 존재의 주파수이기 때문이다. 고대에는 순수한 사랑의 가장 높은 주파수를 하늘이라고 일컬었다.

그러나 당신은 육체가 죽는 시점이 아니라 지금 여기에서 하늘을 발견한다. 당신은 지상에 있는 동안 이곳에서 하늘을 보게 될 것이다. 게다가 사실은 하늘이 당신 안에 있다. 하늘은 당신 존재의 주파수이기 때문이다. 지상에서 하늘을 발견한다는 것은 당신 존재와 동일한 주파수로, 즉 순수한 사랑과 기쁨으로 삶을 살아가는 것이다.

삶을 향한 사랑을 위하여

> "문제는 당신이 앞으로 계속 살 수 있는지 없는지가 아니라, 어떻게 해야 삶을 즐길 수 있을까 하는 점이다."

로버트 서먼 (1941년 생)
불교 작가이자 학자

당신은 영원한 존재다. 모든 것을 경험할 수 있는 이 세상의 모든 시간을 다 가지고 있다. 시간은 부족하지 않다. 당신에게는 영원한 시간이 있기 때문이다! 당신 앞에는 아주 많은 모험이 기다리고 있고, 경험할 일들이 무수히 많다. 지구상에서 일어나는 모험뿐만이 아니다. 우리가 지구의 주인이 된 이상 다른 세계에서의 새로운 모험도 시작될 것이다. 많은 은하계가 있고 여러 차원이 있으며, 지금으로서는 상상조차 하지 못할 삶이 있지만 이 모든 것을 경험할 것이다. 또한 '우리는' 창조의 일부이므로 이 모든 것을 경험할 것이다. 지금으로부터 수십억 년이 흐른 뒤 우리가 밖으로 시선을 돌려 다음 모험을 위한 창조를 찾을 때 수많은 세계 속에 또 다른 세계들이, 수많은 은하계 속에 또 다른 은하계들이, 그리고 무한한 차원들이 우리 앞에 영원히 펼쳐질 것이다.

그렇다면 이 모든 사실로 볼 때 당신은 예전에 생각했던 것보다 조금은 더 특별한 존재라고 생각되지 않는가? 당신이 생각보다 조금은 더 소중한 존재일지 모른다고 생각되지 않는가? 당신, 그리고 당신이 아는 모든 사람, 예전에 살았던 모든 사람에게 끝이란 없다!

온몸으로 삶을 끌어안고 '감사하다'고 말하고 싶지 않은가? 당신 앞에 기다리고 있을 모험에 설레지 않은가? 산꼭대기에 올라가 가슴 벅찬 기쁨을 느끼면서 결코 끝나지 않은 삶을 향해 '네!'라고 소리치고 싶지 않은가?

삶의 목적

"감사와 기쁨 이외에 그 어떤 대의명분도 없다."

고타마 붓다 (기원전 563-483)
불교 창시자

삶의 목적은 기쁨이다. 그렇다면 삶에서 가장 큰 기쁨은 무엇이라고 생각하는가? 누군가 삶의 가장 큰 기쁨은 주는 데 있다고 6년 전의 내게 말했다면 나는 이렇게 말했을 것이다. "당신은 그렇게 말할 수 있겠지요. 나는 어떻게든 살아남으려고 애쓰고 있고 간신히 생활을 꾸려 가는 중이에요. 그래서 줄 게 없어요."

삶의 가장 커다란 기쁨은 주는 데 있다. 주지 않는 한 당신은 언제나 살아남으려고 버둥거릴 것이다. 이런 문제 저런 문제가 계속 당신 앞에 닥치면서 삶은 문제로 가득 찰 것이고 모든 것이 다 잘되고 있다고 생각할 때쯤이면 또 다른 문제가 터져 다시 당신을 곤경과 고난의 삶 속으로 내동댕이칠 것이다. 삶의 가장 큰 기쁨은 주는 데 있으며 당신이 줄 수 있는 것은 한 가지뿐이다. 바로 사랑이다! 삶에서 참되고 영원히 지속되는 것은 사랑과 기쁨, 긍정성, 흥분, 감사, 열정이다. 모든 창조 가운데 가장 값진 선물은 당신 안에 있는 사랑이며, 세상의 그 어떤 풍요로움도 그것과 비교가 되지 않는다.

당신이 가진 최고의 것을 주라. 사랑은 삶의 '모든' 풍요로움을 끌어당기는 자석이므로 사랑을 주라. 그러면 삶은 당신이 생각했던 것보다 훨씬 풍요로워질 것이다. 사랑을 주면, 당신이 가져갈 수 있는 것보다 훨씬 많다고 느껴지는 많은 사랑과 기쁨을 돌려받기 때문이다. 하지만 당신은 무한한 사랑과 기쁨을 가져갈 '수 있다'. 그게 당신이라는 존재이기 때문이다.

"언젠가 사람들이 바람과 파도와 조수와 중력을 정복하게 되는 날 하느님을 위해 사랑의 에너지를 이용할 것이며, 그 다음에는 세계의 역사상 두 번째로 불을 발견하게 될 것이다."

피에르 테이야르 드 샤르댕 (1881~1955)
성직자이자 철학자

당신은 사랑을 지닌 채 이 세상에 왔다. 당신이 가져온 것은 이것뿐이다. 여기 있는 동안 당신이 긍정적인 것을 선택할 때마다, 또한 기분 좋은 감정을 느끼기로 선택할 때마다 당신은 사랑을 주며 이를 통해 세상을 밝힐 것이다. 당신이 바랄 만한 모든 것, 꿈꿀 만한 모든 것, 사랑할 만한 모든 것이 어디를 가든 당신을 따를 것이다.

당신 안에는 우주에서 가장 커다란 힘이 들어 있다. 이 힘으로 당신은 '앞으로' 놀라운 삶을 살 것이다!

파워는 당신 안에 있다.

시작

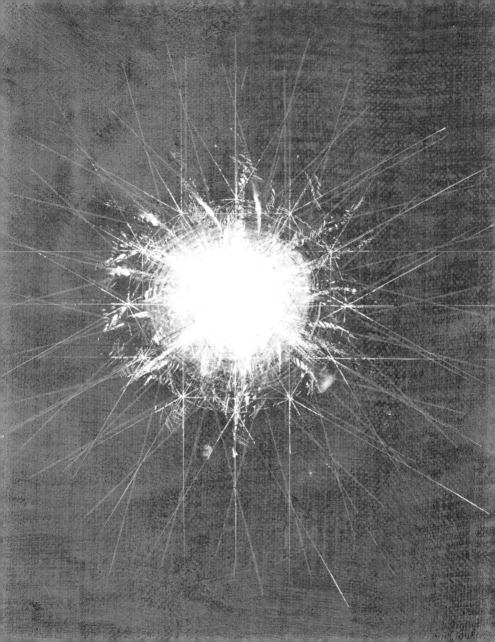

파워의 핵심 포인트

• 당신은 늘 존재해 왔고 앞으로도 존재할 것이다. 당신은 창조의 일부이기 때문이다.

• 당신, 그리고 당신이 아는 모든 사람, 예전에 살았던 모든 사람에게 끝이란 없다!

• 지상에서 하늘을 발견한다는 것은 당신 존재와 동일한 주파수, 즉 순수한 사랑과 기쁨의 주파수로 고양된 삶을 산다는 것이다.

• 삶의 가장 커다란 기쁨은 주는 데 있다. 주지 않는 한 당신은 언제나 살아남으려고 버둥거릴 것이다.

• 삶에서 참되고 영원히 지속되는 것은 사랑과 기쁨, 긍정성, 흥분, 감사, 열정이다. 모든 창조 가운데 가장 값진 선물은 당신 안에 있는 사랑이며, 세상의 그어떤 풍요로움도 그것과 비교가 되지 않는다.

• 사랑은 삶의 모든 풍요로움을 끌어당기는 자석이므로 사랑을 주라.

• 여기에 사는 동안 당신이 긍정적인 것을 선택할 때마다, 또한 기분 좋은 감정을 느끼기로 선택할 때마다 당신은 사랑을 주며 이를 통해 세상을 밝힐 것이다.

『파워』가 당신에게 영원토록
사랑과 기쁨을 가져다주기를.

이것이 당신과 이 세상에 바치는
나의 뜻입니다.

저자 소개

수십억 명의 사람에게 기쁨을 주는 것.
이것이 론다 번의 계획이다.

론다 번은 영화 〈시크릿〉으로 이 여정을 시작했으며, 지구상에 있는
수백만 명의 사람이 이 영화를 보았다. 뒤이어 론다 번은 『시크릿』 책
을 내놓았다. 이 책은 세계적인 베스트셀러가 되어 현재 46개 언어로
번역되어 있다.

론다 번은 이제 『파워』를 통해 우주에서 단 하나뿐인 가장 위대한 힘
의 정체를 밝히면서 새로운 지평을 여는 작업을 이어 가고 있다.

파워

펴낸날	초판 1쇄 2011년 6월 16일
	초판 6쇄 2011년 6월 25일

지은이	**론다 번**
옮긴이	**하윤숙**
펴낸이	**심만수**
펴낸곳	**(주)살림출판사**
출판등록	1989년 11월 1일 제9-210호

경기도 파주시 교하읍 문발리 파주출판도시 522-1

전화 031)955-1350 팩스 031)955-1355
기획 · 편집 031)955-4667
http://www.sallimbooks.com
book@sallimbooks.com

ISBN 978-89-522-1575-8 03320

책임편집 **정홍재**